생일을 진심으로

축하 드립니다.

우 가식 총장 드림.

야베스의 기도

야베스는 그 형제보다 존귀한 자라

그 어미가 이름하여 야베스라 하였으니

이는 내가 수고로이 낳았다 함이었더라

야베스가 이스라엘 하나님께 아뢰어 가로되

'원컨대 주께서 내게 복에 복을 더하사

나의 지경을 넓히시고 주의 손으로 나를 도우사

나로 환난을 벗어나 근심이 없게 하옵소서' 하였더니

하나님이 그 구하는 것을 허락하셨더라.

역대상 4장 9-10절

야베스의 기도

브루스 윌킨슨 지음 ┃ 마영례 옮김

내 삶을 기적으로 채우는 기도의 원리

도서
출판 디모데

Breaking Through to the Blessed Life

The Prayer of Jabez
by Dr. Bruce H. Wilkinson

Copyright©2000 by Bruce Wilkinson
Published by Multnomah Publishers, Inc.
204 W. Adams Avenue, P. O. Box 1720-Sisters, Oregon 97759 USA

1쇄 발행 / 2001년 2월 25일
48쇄 발행 / 2001년 8월 25일

지은이 / 브루스 윌킨슨
옮긴이 / 마 영 례
펴낸이 / 양 승 헌
펴낸곳 / 도서출판 디모데〈파이디온 선교회 출판 사역 기관〉

등록 / 1998년 1월 22일 제17-164호
주소 / 서울 동작구 사당동 1045-10
전화 / 522-0872~4   팩스 / 522-0875
홈페이지 / edimode.com

값 5,500원
ISBN 89-388-0297-3
Copyright ⓒ 도서출판 디모데 2000 〈Printed in Korea〉

차례

BRUCE WILKINSON

지금 자신이 어떤 사람인지를 알고

또 앞으로 어떤 사람이 될 수 없는지를 알며,

지금 할 수 있는 일들과 앞으로 결코 할 수 없게 될 일들을 보면서

여전히 세상을 위해 하나님께 간구하는

사도행전에 나오는 그리스도인들과 같은 모든 이들에게.

이 책의 편집을 맡아 준 데이비드 콥과 래리 리비의 우정과 헌신

그리고 출판을 맡아준 존 반 디에스트의 격려가 없었더라면

이 책의 메시지는 내 생각 속에 묻힌 채 세상에 나올 수 없었을 것이다.

우리를 하나로 엮어주신 주님께 감사드린다.

서문

독자 여러분께.

 하나님께서 응답해주시는 담대한 기도는 어떻게 하는지 알려드리고 싶습니다. 그 기도는 간단합니다. 네 부분으로 나눌 수 있는 한 문장으로 되어 있고, 성경 속에 잘 감추어져 있어서 쉽게 보이지 않습니다. 그러나 그 기도에는 하나님의 놀라운 은혜를 체험하는 삶의 열쇠가 들어 있습니다.

그 기도는 제가 하나님께 기대하는 것들과 그분의 능력으로 매일 경험하는 것들에 근본적인 변화를 가져왔습니다. 그리고 그 기도에 담긴 진리를 적용하고 있는 수많은 성도들이 매일의 삶 속에서 놀라운 기적들을 경험하고 있습니다.

이제, 야베스의 기도의 세계로 초대합니다. 함께 가지 않겠습니까?

브루스 윌킨슨

하나. 짧은 기도, 엄청난 상

야베스가 이스라엘 하나님께 아뢰어 가로되

당신이 들고 있는 이 작은 책자는 평범한 그리스도인들이 비범한 삶을 살기로 결정했을 때 일어나는 변화들을 담고 있다.

이야기는 노란색 선반들이 달려 있는 부엌에서 시작된다. 굵은 빗줄기가 바깥 유리창을 두드리고 있던 그 때, 나는 달라스에 있는 신학교에서 마지막 학기를 공부하고 있었고, 아내 달린(Darlene)과 함께 졸업 후의 진로를 생각하면서 기도하는 일에 점점 더 많은 시간을 보내던 참이었다. 어디에 나의 에너지와 열정과 훈련받은 것들을 쏟아 부어야 할 것인가? 하나님께서 우리 부부에게 원하시는 것은 무엇일까? 나는 부엌에 서서 우리 신학교 교목인 리차드 슘(Richard Seume) 박사를 통해 들었던 도전적인 메시지를 다시 생각해보고 있었다. "보다 원대한 비전을 갖기 원하는가? 그렇다면 하나님을 위해 더 큰 일을 기대하고 더 많은 일을 하려는 사람이 되기로 결단하라."

슘 박사의 설명에 따르면 그런 사람은 항상 자신에게 요구되는 것이나 기대되는 것 그 이상을 하는 사람이다. 가구 만드는 일을 예로 들자면, 가구의 가치와 품위를 좀 더 높이기 위해 인내심 있게 장식을 덧붙이며 마감질을 하는 것과 같다.

슘 박사는 성경에 나오는 사람들의 전기 가운데 가장

간단한 내용을 설교 본문으로 삼았다. "야베스는 그 형제보다 존귀한 자라"(대상 4:9). 야베스는 하나님을 위해 더 나은 사람이 되기를 원했고, 더 많은 일을 하고 싶어했다. 그리고 10절에서 볼 수 있듯이 하나님께서 그의 '구하는 것을' 허락해주셨다.

그 구절을 마지막으로 그의 이야기는 끝이 난다.

창 밖으로 세차게 내리치는 빗줄기를 바라보며 나는 "주님, 저는 주님을 위해 더 큰 일을 기대하고 더 많은 일을 하는 사람이 되고 싶습니다"라고 기도를 드렸다. 그러나 한편으로는 "야베스는 어떻게 다른 사람들보다 존귀한 사람이 될 수 있었을까? 하나님께서 그의 기도에 응답해주신 이유는 무엇일까?"라는 의문을 갖게 되었다. 그리고 야베스에 대한 간단한 소개까지 성경에 포함시킨 하나님의 의도가 무엇이었는지 알고 싶어졌다.

창틀로 굴러 떨어지는 빗방울 때문이었는지 갑자기 나의 생각이 9절 말씀을 지나 그 다음 절로 내려갔다.

성경을 펴서 10절을 읽었다. 야베스의 기도였다. 어쩌면 그 기도 속에 내가 가진 의문을 풀 수 있는 단서가 들어 있을지도 모를 일이었다. 또 그래야 했다. 그래서 나는 노란 선반으로 의자를 당겨 앉은 후, 몸을 굽혀 그 기도를 읽고 또 읽으며, 나 같은 평범한 사람을 위해 하나님께서 예비하신 미래를 찾고자 온 마음을 다했다.

다음 날 아침, 나는 야베스의 기도를 글자 그대로 나의 기도가 되게 했다.

그 다음 날도.

또 그 다음 날도.

그리고 30년이 지난 지금까지도 그 기도를 멈추지 않

고 있다.

구원을 위한 기도 외에 나의 삶에 가장 획기적인 변화를 가져다준 말이 어떤 것이었는지를 묻는다면 더 큰 일을 기대하고 더 많은 일을 하고 싶어했던 야베스라는 이름을 가진 사람의 부르짖음이었다고 대답할 것이다. 야베스는 그가 한 일 때문이 아니라 그가 한 기도 때문에 그리고 그 이후에 일어난 일 때문에 오늘날까지도 기억되는 사람이다.

이 작은 책자를 통해 나는 복을 구한 야베스의 기도에 나타난 엄청난 진리들을 소개하고, 그 기도에 대한 하나님의 놀라운 응답들을 당신의 일상에서 반복해서 나타나는 경험의 한 부분으로 기대할 수 있도록 당신을 준비시켜주고자 한다.

이 책이 당신에게 뜻 깊은 영향을 미치게 되리라는

것을 나는 알고 있다. 그것은 나 자신의 경험과 내가 이 원리를 나눈 수백 명에 달하는 사람들의 간증이 있기 때문이다. 그리고 더 중요하게는 야베스의 기도 자체가 당신의 미래를 위한 하나님의 강력한 의지를 보여주고 있기 때문이다. 마지막으로, 우리 하나님 아버지께서는 우리가 구하는 것 이상으로 훨씬 더 풍성하게 주고 싶어하신다는 것을 그 기도가 보여주고 있기 때문이다.

장래가 어두웠던 그 사람에게 물어보기로 하자.

계보 속에 들어 있는 존귀한 사람

아주 작은 차이가 크게 다른 결과를 가져오는 경우를 우리는 심심치 않게 본다. 야베스는 모세나 다윗과 같이 구약 성경의 많은 부분을 차지하고 있거나, 세상을 뒤엎은 초대 그리스도인들처럼 사도행전을 빛나게 해주지도 않는다. 그러나 한 가지, 그의 삶 속에 나타난 작은 차이가 모든 것을 다르게 만들었다는 사실만은 확실하다.

그를 계보에 들어 있는 존귀한 사람이라고 생각할 수 있을 것이다. 아니면 성경에 나타난 작지만 큰 인물이라고 생각할 수도 있을 것이다. 그는 성경에서 가장 잘 읽혀지지 않는 책 그리고 그 중에서도 가장 잘 읽혀지지 않는 부분 속에 마치 숨어 있는 듯하다.

역대상의 처음 9장은 아담에서 시작해 수천 년을 지나 이스라엘의 귀환에 이르는, 히브리 지파들에 대한 공식적인 계보로 이루어져 있어서 지루하기 짝이 없다. 무려 500개가 넘는 생소하고 어려운 이름들이 나열된 목록은 마음 먹고 성경을 공부하려고 머리를 싸맨 가장 용감한 학생마저도 외면하게 만든다.

4장을 보자. 유다의 아들들은 베레스와 헤스론과 갈
미와 훌과 소발이라. 이 정도는 시작에 불과하다.

아후매

이스마

잇바스

하술렐보니

아눕…

당신이 갑자기 이 책을 접고 TV 리모콘을 집으려 한
다 해도 나는 당신을 용서할 것이다. 하지만 조금만 더
가보자. 44명의 이름이 죽 나오다가 갑자기 이야기 하
나가 느닷없이 불쑥 나타난다.

야베스는 그 형제보다 존귀한 자라. 그 어미가 이름
하여 야베스라 하였으니 이는 내가 수고로이 낳았다 함

이었더라. 야베스가 이스라엘 하나님께 아뢰어 가로되 원컨대 주께서 내게 복에 복을 더하사 나의 지경을 넓히시고 주의 손으로 나를 도우사 나로 환난을 벗어나 근심이 없게 하옵소서 하였더니 하나님이 그 구하는 것을 허락하셨더라(대상 4:9-10).

그리고 이어지는 그 다음 절에서는 마치 아무 일도 없었다는 듯이 유다 지파의 이름들이 다시 나오고 있다. 글룹, 수하, 므힐…

이 사람 야베스에 관한 무엇인가가 사관(史官)으로 하여금 그 단조로운 어조를 잠시 멈추고, 목청을 가다듬은 다음, 돌연 분위기를 바꾸게 만들었다. 마치 "참, 잠 간만요!"라고 불쑥 말을 내뱉고는 "이 야베스라는 사람에 대해서는 반드시 알고 넘어가야 합니다. 이 사람은 다른 사람들하고는 달랐거든요!' 라고 설명을 덧붙이는 듯하다.

그렇다면 이 야베스의 명성이 지속되는 비밀은 무엇인가? 나처럼 당신도 성경을 처음부터 끝까지 다 찾아보고나서 짧은 두 구절 외에는 더 이상의 정보가 없음을 알게 될 것이다.

- 별로 좋지 않은 상황에 처해 있던 한 무명인의 이야기로 시작되었다.
- 그 사람은 흔히 볼 수 없는 한 문장으로 된 짧은 기도를 했다.
- 그리고 모든 일이 이상하리만치 잘 끝났다.

분명, 그 나타난 결과는 그의 기도 속에서 찾아볼 수

있다. 하나님께 직접 그리고 짧게 드려진 야베스의 기도는 그의 삶을 바꾸어놓았고, 이스라엘 역사책에 영원히 그의 흔적을 남겨놓았다.

원컨대 주께서 내게 복에 복을 더하사
나의 지경을 넓히시고
주의 손으로 나를 도우사
나로 환난을 벗어나 근심이 없게 하옵소서.

언뜻 보기에 이 네 개의 간구는 진실되고, 상식적이며, 고상하기는 하지만, 특별하게 뛰어나 보이지 않을 수도 있다. 그러나 그 각각의 기도에는 일반적으로 우리가 생각하는 방식과는 정반대 방향으로 흐르는 거대한 진리가 담겨 있다. 이제부터 야베스의 간구가 얼마

나 극적으로 우리의 삶 속에 기적적인 요소들을 불러일
으킬 수 있는지를 살펴보자.

한계에 구애받지 않는 삶

하나님께서 하셨다는 것을 너무나 분명히 보여주는
그런 방식으로 하나님께서 당신을 통해 가장 최근에 일
하셨던 적은 언제인가? 당신의 삶 속에서 일상적으로
반복해서 일어나는 기적들을 가장 최근에 경험한 때는
언제였는가? 그동안 내가 만났던 대부분의 성도들과 같
다면 당신은 아마도 그런 경험을 어떻게 구해야 하는지
혹은 구해도 되는지조차 의아해할 것이다.

당신에게 하고픈 말은 하나님의 능하신 사역에 당신
의 삶을 열어놓으라는 것이다. 최근에 나는 달라스에서
9,000명의 청중을 대상으로 야베스가 누린 복에 관한 강

의를 했다. 점심 식사를 마친 후 한 사람이 다가와 내게 말했다. "15년 전에도 야베스에 대한 목사님의 설교를 들은 적이 있습니다. 그 메시지를 듣고 난 이후 전 그 기도를 계속 해오고 있어요. 너무나 놀라운 변화들을 경험하고 있어서 그 기도를 멈출 수가 없거든요."

식탁 반대편에서 또 한 사람이 동의했다. 그도 지난 10년 동안 야베스의 짧은 기도를 따라 하면서 비슷한 경험을 하고 있다고 말하면서. 그 옆에 앉아 있던 또 한 사람은 인디애나폴리스에서 온 심장 전문의였는데 5년 동안 그 기도를 해왔다고 했다.

나는 그들에게, "저는 제가 살아온 세월의 반 이상을 야베스처럼 기도하고 있습니다"라고 말했다.

이 책을 손에 쥔 당신도, 하나님을 위해 '좀 더 영광스러운' 삶에 도달하고 싶은 심정은 나와 같을 것이다.

하나님이 허락하시는 온전한 복만이 그렇게 만들 수 있다. 언젠가 지나온 삶을 회계하기 위해 그분 앞에 서게 될 때 당신의 소원처럼, "잘 하였도다!"라는 말씀을 듣게 될 것이다.

정말로 하나님은 당신이 요청하지 않아서 주지 못하는, 그래서 당신이 요청하기만을 기다리는 엄청난 복을 소유하고 계신다. 이것이 불가능한 일처럼 들릴 수도 있다는 것을 나도 안다. 오늘날처럼 이기적인 세대에서는 오히려 난처할 정도로 수상쩍게 들리기도 할 것이다. 그러나 영원 전부터 하나님은 당신의 삶을 위해 복을 갖고 계시면서 당신에게 변화가 일어나기만을 기다리고 계셨다. 그렇기 때문에 당신이 이 자리에서 몇 가지 중요한 다짐만 하면, 하나님 아버지께서 당신에게 복을 주시리라는 확신과 기대를 안고서 앞으로 나아갈 수 있다.

다음과 같이 생각해보라. 강가에 서서 하루하루를 버티기 위해 물 한 컵씩을 요구하는 대신 전혀 생각하지 못했던 일을 하는 것이다. 그 일은 커다란 상이 주어지는 짧은 기도를 하고 강물 속으로 뛰어드는 것이다. 그리고 그 순간부터 하나님의 은혜와 능력을 실은 사랑의 물결에 당신을 내맡기는 것이다. 그러면 당신을 위한 하나님의 거대한 계획이 당신을 감싸고, 하나님께서 원하시는 정말로 의미 있고 만족스런 삶이 시작될 것이다.

그렇게 되기를 바란다면 계속 읽어보라.

둘. 그렇다면 왜 구하지 않는가?

원컨대 주께서 내게 복에 복을 더하사

 온전한 그리스도인의 삶을 경험하고 싶어
하는 다른 그리스도인들과 함께 산 속에서
수련회를 가지게 되었다고 생각해보라. 수
련회가 진행되는 동안 사람들은 각자 그들을 도와줄 조
언자와 짝이 되어 생활하게 되었다. 그리고 당신의 조
언자는 70대의 노인이고, 그 분은 당신이 살아온 햇수보
다 더 긴 세월 동안 하나님을 위해 다른 사람들의 삶에
영향을 미쳐왔다.

첫날 아침 샤워를 하러 가는 길에 그의 방 앞을 지나치게 되었다. 방문이 약간 열려 있어서 들여다보니 그는 막 무릎을 꿇고 기도를 하려던 참이었다. 호기심을 떨쳐버릴 수가 없었다. "믿음의 거인들은 기도를 어떻게 시작할까?"라는 궁금증이 생겼다.

그래서 멈추어 서서 문 옆으로 가까이 다가갔다. "부흥을 위해 기도할까? 아니면 전세계의 굶주린 사람들을 위해 기도할까? 혹 나를 위해 기도하는 것은 아닐까?"

그러나 당신이 들은 기도는 "오, 주님. 제게 복주시기를 이 아침에 가장 먼저 그리고 간절히 기도합니다!"였다.

그런 이기적인 기도에 충격을 받은 당신은 샤워실을 향해 터벅터벅 복도를 걸어 내려갔다. 그러나 물 온도를 맞추는 동안 한 가지 생각이 떠올랐다. 그 생각이 너

무나 분명해서 미처 그 생각을 하지 못했던 것이 믿어
지지 않을 정도였다.

'뛰어난 믿음의 사람들은 평범한 우리와 생각하는
것이 다르다.'

옷을 챙겨 입고 아침 식사를 하러 갈 때가 되었을 때
그 생각을 확신하게 되었다. 믿음의 사람들이 다른 사
람들보다 뛰어날 수 있는 까닭은 그들이 주위에 있는
사람들과 다르게 생각하고 기도하기 때문이었다.

우리가 이기적으로 기도하기를 하나님께서 원하신
다는 것이 있을 수 있는 일인가? 주님께 좀 더, 보다 더
많이 구하는 것이 가능하단 말인가? 그렇게 기도하는
것은 성숙하지 못했기 때문이라고 생각하는 진지한 그
리스도인들을 많이 보아왔다. 그들은 하나님께 너무 많
은 복을 구하게 되면 속물스럽고 공손하지 못하게 보일

것이라고 생각한다.

아마 당신도 그렇게 생각하고 있을지 모르겠다. 그렇다면 그런 기도가 자기 중심적으로 보일 수는 있지만 실제로는 그렇지 않다는 것과, 오히려 그런 기도야말로 매우 영적인 기도이며 우리 하나님 아버지께서 듣고 싶어하시는 기도라는 것을 보여줄 수 있기를 바란다.

먼저, 야베스의 이야기를 자세히 살펴보자.

고통을 주려는 것이 아니라 복을 얻게 하려는 것

이스라엘 백성이 가나안을 정복한 후 사사들이 다스리던 시대에 야베스는 이스라엘의 남부 지방에 살았었다는 것까지는 우리가 알 수 있다. 그는 유다 지파로 태어나 결국 한 가문의 눈에 띌 만한 존귀한 자가 되었다. 그러나 실제로 그의 이야기는 "그 어미가 이름하여 야

THE PRAYER OF JABEZ

베스라 하였으니 이는 '내가 수고로이 낳았다' 함이었
더라"는 그의 이름에 대한 설명으로부터 시작된다.

히브리 말로 야베스는 고통을 의미한다. 보다 문자적
인 의미로는 '그가 고통을 불러오다(혹은 불러올 것이
다)' 라는 뜻이다.

장래가 그리 유망해 보이는 삶의 시작은 아닌 것처럼
들린다. 그렇지 않은가?

모든 아기들은 얼마간의 고통을 안고 이 세상에 태어
난다. 그러나 야베스의 출생에는 그 이상의 무엇인가가
있었다. 어머니가 아들의 이름 속에 기억시켜두기로 했
을 정도의 일이었다. 왜일까? 아마도 임신 기간 동안 혹
은 출산 과정에서 큰 충격이 있었는지 모른다. 어쩌면
아이가 거꾸로 나왔을지도 모른다. 아니면 어머니가 무
거운 심적 고통을 겪고 있었는지도 모른다. 아이를 임

신하고 있는 동안 아이의 아버지가 그녀를 버렸거나 혹은 세상을 떠났을 수도 있다. 어쩌면 경제적인 파산으로 식구가 하나 더 늘어나는 것이 염려와 두려움만 가져다줄 뿐이었는지도 모른다.

이 고뇌에 찬 어머니의 고통이 무엇이었는지는 아무도 모른다. 그것을 안다 해도 그 사실이 어린 야베스의 운명에 별다른 변화를 가져다주는 것은 아니었다. 그는 어떤 사내아이라도 싫어했을 그런 이름을 지니고 자랐다. 원하지 않았던 아이라는 것을 매일 기억나게 하며, "그래, 니 엄마는 무슨 생각으로 널 낳았다고 하더냐?" 라고 빈정거리는 심술꾸러기들의 놀림 속에서 어린 시절을 견뎌내야 했다고 생각해보라.

그러나 야베스라는 그의 이름이 가져다주었을 가장 심한 고통은 그의 장래가 그 이름과 밀접하게 연결되어

생각된다는 점이다. 그 당시 사람들에게는 그들의 이름
과 삶이 너무나 밀접하게 연결되어 있었기 때문에 한
사람의 이름을 삭제하는 것은 그를 죽이는 것과도 같았
다. 그리고 아이의 이름을 지어줄 때 그 이름에는 아이
의 장래에 대해 말해주는 예언이나 소망 같은 것이 내
포되어 있었다. 예를 들어 야곱이라는 이름은 '움켜잡
는 사람' 이란 뜻인데 그 교활한 족장의 전기를 잘 보여
주면서도 간단하게 표현해주는 이름이었다. 나오미와
그녀의 남편은 두 아들에게 말론과 기론이라는 이름을
지어주었는데 그 뜻은 '허약하다' '수척해지다' 였다.
그리고 그 두 아들은 정확하게 그렇게 되었다. 둘 다 어
른이 되어 일찍 세상을 떠났다. 솔로몬이라는 이름은
'평화' 라는 뜻을 가지고 있었는데 그 이름처럼 그는 전
쟁을 겪지 않고 이스라엘을 다스렸던 첫번째 왕이 되었

다. '고통' 이라는 뜻을 가진 야베스라는 이름은 그의
장래를 위해 그리 좋은 징조가 되어주지 못했다.

장래에 대한 침울한 징조에 굴하지 않고 야베스는 자
신의 길을 찾았다. 그는 노예 생활을 하던 조상들에게
자유를 얻게 해주셨고, 그들을 강한 적들로부터 구해주
셨으며, 풍요로운 땅에 정착할 수 있게 해주신 이스라엘
의 하나님에 대해 들으며 자랐다. 어른이 되자 야베스
는 이 기적과 새로운 시작의 하나님을 믿으며 그분을
강렬하게 소망하게 되었다.

어찌 구하지 않겠는가?

그것이 그가 한 일이었다. 그는 상상할 수 있는 가장
크고 가장 사실같지 않은 그런 요청을 했다.

"원컨대 주께서 내게 복에 복을 더하사…!"

나는 그의 간구에 나타난 긴박성과 인간적인 연약함

을 좋아한다. '복에 복을' 이라는 같은 말을 반복하는
히브리 표현은 마치 느낌표를 5개나 더하거나 아니면
고딕체로 쓰고 밑줄을 그어 강조하는 것과도 같다.

나는 하늘로 치솟은 성벽 아래 우묵하게 파인 육중한
성문 앞에 서 있는 외소한 야베스의 모습을 그려본다.
자신의 슬픈 과거와 현재 생활의 침울함을 무겁게 지고
있는 그의 앞에는 꽉 막힌 미래만이 놓여 있는 것처럼
보일 뿐이었다. 그러나 그는 두 팔을 위로 들어올리고
"아버지, 아버지! 제게 복을 주세요! 정말로 많이 복주
시기를 원합니다!"라고 부르짖었다.

부르짖음이 끝나자 변화가 일어나기 시작했다. 무언
가가 부서지듯 엄청나게 큰 소리가 울렸다. 그런 다음
삐그덕거리는 소리와 함께 덜커덩하며 둥근 아치 모양
의 거대한 성문이 그 앞에서 활짝 열렸다.

그리고 야베스는 새로운 삶을 향해 걸어나갔다.

복은 사소한 말이 아니다

확신을 가지고 하나님의 복을 구할 수 있게 되기 전에 우리는 복이란 단어의 의미를 분명하게 이해해야 한다. 어느 강대상에서나 '복' 혹은 '축복' 이란 단어를 힘주어 말하는 경우를 자주 본다. 하나님께서 선교사들을 복주시고, 우리의 자녀들에게 복을 주시며, 우리가 먹을 음식에도 복 주시기를 기도한다. 우리는 손녀가 재채기를 할 때 할머니가 옆에서 해주는 그런 사소한 말처럼 '복' 을 취급한다.

그러다 보니 (축)복이란 단어가 "좋은 하루 되세요" 와 같이 그저 애매하고 무해한 말처럼 사용되면서 그 의미가 흐려진 것은 당연한 일인지도 모른다. 그리고 많은 그리스도인들의 삶이 복을 구해야 했던 야베스만큼 그렇게 절실하지 않은 것도 사실이다.

성경적인 의미에서 '복' 이란 말은 사람의 힘으로 얻지 못하는 초자연적인 은혜를 뜻한다. 하나님으로부터 복을 구할 때 그것은 우리가 자력으로 취할 수 있는 것을 좀 더 요구하는 정도가 아니다. 하나님만이 아시고 주실 수 있는 놀랍고도 무조건적인 은혜를 베풀어주시도록 부르짖는 것이다. "여호와께서 복을 주시므로 사람으로 부하게 하시고 근심을 겸하여 주지 아니하시느니라"(잠 10:22)고 잠언의 저자는 바로 그런 풍성함을 언급하고 있다.

복을 구하는 야베스의 기도에 나타난 극적인 단면을 살펴보자. 그는 어떤 복이 언제, 어디서 그리고 어떻게 자신에게 주어질지에 대한 결정을 전적으로 하나님께

35

맡기고 있다. 우리를 향한 하나님의 선하심에 대한 이런 철저한 신뢰는 캐딜락이나 거액의 수입 혹은 하나님과의 관계를 통해 돈을 버는 물질적인 복을 구해야 한다고 말하며 인기를 끄는 종류의 복음과는 전혀 다르다. 야베스가 구하는 복은 우리가 원하는 것을 우리를 위해 구하는 것이 아니라, 우리를 위해 하나님께서 원하시는 것에 레이저처럼 초점을 맞추어 광선을 비추며 그 이상도 그 이하도 되지 않게 하는 것이다.

하나님이 주시는 복을 우리 삶의 최고 가치로 추구할 때 우리는 '우리를 위한 하나님의 뜻과 능력과 목적'이라는 강물 속에 우리 자신을 완전히 내던지게 된다. 그리고 우리가 가진 그밖의 다른 모든 필요들은 우리가 정말 원하는 것에 밀려 부차적인 것이 된다. 우리가 정말 원하는 것이란 하나님이 그분의 영광을 위해 우리 안에서, 우리를 통해서 그리고 우리 주위에서 행하시는 일들 속에 완전히 잠기게 되는 것이다.

진정으로 하나님이 복 주시기를 구할 때 기적의 흔적들이 우리의 삶 속에 부산물로 남게 된다. 내가 그 결과를 알고 있는 것은 하나님께서 그것을 약속하셨고, 그런 일이 나의 삶 속에서 일어나는 것을 보아왔기 때문이다. 놀라운 일들을 이루시는 하나님의 능력이 당신 안에서 별안간 아무 제재도 받지 않게 된다. 당신은 그분의 지시를 따라 움직이며, 정확히 하나님께서 원하시는 대로 기도하게 된다. 거침없이 하늘에서 주어지는 힘으로 하나님의 완벽한 뜻을 이루어갈 수 있게 된다. 그리고 당신이 가장 먼저 그것을 인식하게 될 것이다!

그러나 문제가 있다.

천국에 간 존 이야기

하나님께서 오늘 당신에게 23개의 특별한 복을 보내 주시기로 했지만, 당신은 그 중 하나밖에 받지 못했음을 알게 된다면 어떻겠는가? 그렇게 된 이유는 무엇이라고 생각하겠는가?

존이라는 사람이 천국에 가서 경험한 짤막한 이야기 가 있다. 베드로가 그를 안내하기 위해 문에서 기다리 고 있었다. 베드로가 보여주는 황금 길과 아름다운 저 택 그리고 천사들이 부르는 노래 소리의 황홀함 속에서 이상하게 생긴 건물 하나가 눈에 띄었다. 커다란 창고 같았다. 창문은 하나도 없었고 문 하나가 달려 있었다. 안을 보고 싶다고 하자 베드로는 좀 꺼려하면서 "안 보 는 게 나을 거예요"라고 말했다.

"천국에 무슨 비밀이 있어야 한단 말인가? 저 안에

도대체 얼마나 놀라운 것이 들어 있는 걸까?'라고 존은 생각했다. 공식적인 안내가 끝난 후에도 그는 계속 궁금했다. 그래서 그 건물 안을 좀 보여달라고 다시 부탁을 했다.

결국 베드로는 마음이 약해졌다. 사도가 문을 열자 존은 급히 들어가려다 거의 자빠질 뻔했다. 그 거대한 건물에는 바닥에서 천정까지 선반들이 빼곡이 들어 차 있었다. 그리고 각 선반에는 빨간 리본이 묶여진 하얀 상자들이 깔끔하게 정돈되어 있었다.

감개가 무량해진 존은 "전부 이름이 쓰여 있네요"라고 크게 소리쳤다. 그리고 베드로를 바라보며 "제 것도 있습니까?"라고 물었다.

그렇다라고 대답하며 베드로가 그를 다시 밖으로 데리고 나가면서 "솔직히 내가 당신이라면…"이라고 말하는 동안 존은 이미 자기의 상자를 보고 싶어 'ㅈ'자 표시가 된 선반으로 달려가고 있었다.

베드로는 머리를 흔들며 뒤따라갔다. 베드로가 그에게 다가갔을 때 존은 벌써 자기 이름이 쓰여진 상자의 리본을 풀고 뚜껑을 막 열고 있었다. 안을 들여다보자마자 존은 곧바로 알아보았다. 그리고는 베드로가 수차례 들어왔던 것과 똑같은 그런 깊은 한 숨을 내쉬었다.

존이 열어본 하얀 상자 안에는 그가 세상에 살아 있을 동안 하나님께서 그에게 주기 원하셨던 많은 복들이 들어 있었다. 그러나 존은 전혀 구하지 않았었다.

예수님께서는 "구하라 그러면 너희에게 주실 것이요"(마 7:7)라고 약속하셨다. 그리고 야고보는 "너희가 얻지 못함은 구하지 아니함이요"(약 4:2)라고 했다. 하나님의 선하심에는 끝이 없지만 어제의 복을 구하지 않았다면 당신은 어제 받았어야 할 복을 다 받지 못한 셈이다.

그게 바로 문제다. 당신이 하나님에게 복을 구하지 않으면 당신이 구할 때에만 주어지는 복들을 잃어버리게 된다. 아버지로부터 축복을 구하는 자녀를 통해 아버지가 영광을 얻을 수 있는 것과 마찬가지로 하나님이 내리시는 복이 당신이 가장 바라는 것이 될 때 하나님 아버지께서는 넉넉하게 주시기를 기뻐하신다.

복을 주시는 것은 하나님의 본성이다

당신의 이름 역시 또 하나의 고통과 수고와 어려운 환경 때문에 주어진 유산이라고 생각한다면 그것은 하나의 불리한 요소로 작용한다. 그래서 자신은 복을 받을 수 있는 후보자로 느껴지지 않을 수도 있다.

아니면 전에 한 번 구원을 받은 그리스도인이라고 자신을 생각하면서 하나님의 복은 당신이 무엇을 하건 상관없이 이미 예정된 대로 부슬비처럼 내려지는 그런 것이라고 여기고 있을지도 모르겠다. 그래서 어떤 노력도 할 필요가 없다고 생각할 수도 있다.

그것도 아니면 하나님은 장부를 기록하며 관리하시는 분이라는 생각에 빠져 있을 수도 있다. 당신이 소유한 복 장부에는 입금란과 지출란이 있다. 그런데 하나님께서 근래에 유난히 친절을 베푸셨으니까 더 이상 바라서는 안 되며 조금만 구해서 장부상에 남은 것이 있도록 해야 한다. 어쩌면 당분간은 하나님께서 당신을 잊고 계시도록 해야 한다. 그렇지 않으면 곤란한 일을 당하게 해서 빚을 청산하게 하시려고 할지도 모르기 때문이다.

이런 생각들은 죄며 올무다! 모세가 시내 산에서 하나님께 "원컨대 주의 영광을 내게 보이소서"(출 33:18)라고 기도했을 때 그는 하나님을 보다 더 친밀하게 알 수 있기를 구했던 것이다. 그러자 하나님께서는 "여호와로라 여호와로라 자비롭고 은혜롭고 노하기를 더디하고 인자와 진실이 많은 하나님이로라"(출 34:6)고 자신을 묘사하셨다.

얼마나 놀라운 일인가! 하나님의 본성에는 그 선하심이 너무나 풍성해서 아무 자격이 없는 우리에게 그 선하심이 흘러 넘치게 하신다. 하나님을 다른 방식으로 생각하고 있다면 당신의 그 사고 방식을 바꾸라. 하나님께서 당신에게 복 주시기를 평생 구하겠다고 그리고 더 많이 복 주시기를 구하겠다고 다짐하고 실천해보라.

하나님의 풍성하심은 하나님의 자원이나 능력이나

주고자 하는 하나님의 마음 때문에 제한되는 것이 아니라 오직 우리 자신 때문에 제한을 받고 있다. 야베스는 그 어떤 장애도, 그 어떤 사람도 혹은 그 어떤 주장도 하나님의 본성보다 더 크게 확대해 보지 않기로 했기 때문에 복을 받았다. 복 주시는 것은 하나님의 본성이다.

셋. 하나님을 위한 원대한 삶의 경험

나의 지경을 넓히시고

지경을 넓혀달라는 야베스의 기도의 두번째 내용은 하나님께서 당신의 삶을 넓혀주셔서 하나님을 위해 더 큰 영향력을 미칠 수 있게 해달라고 요청하는 것과 같다.

야베스가 한 기도의 내용과 결과를 통해 우리는 그의 간구 속에는 그저 단순히 더 많은 부동산을 구하는 그 이상의 바람이 들어 있음을 볼 수 있다. 그는 이스라엘의 하나님의 명예를 위해 더 많은 영향력과 더 많은 책

임 그리고 더 많은 기회를 원했다.

지경이라고 번역된 이 말은 '해변' 혹은 '경계'라는 말로 번역될 수도 있다. 야베스와 그와 동시대를 살았던 그의 동료들에게 이 '지경'이라는 단어는 미국의 초기 개척자들이 '자작 농장' 혹은 '미개척지'라는 말에서 느끼는 것과도 같은 그런 강렬한 의미를 가지는 말이었다. 그것은 재배할 수 있는 넓은 공간을 가진 자기 소유의 터를 말한다.

야베스 당시 이스라엘의 국가적인 상황은 여호수아가 가나안을 정복하고 각 지파에게 그 약속의 땅을 분배해주던 때였다. 야베스는 그 당시의 상황을 보고 "나는 이보다 더 많은 것을 위해 태어났음이 분명하다!"라는 결론을 내렸다. 그리고 "나의 지경을 넓혀주옵소서!"라고 하나님께 부르짖었다. 농부나 목자들이 했던 것처럼 그는 가족들이 남겨준 땅을 바라보며 그 경계를 눈으로 확인하고, 경계를 표시하는 말뚝을 찾아보며 그 잠재력을 평가해본 후 "하나님, 제 관리 아래에 주신 모든 것을 취하시고 넓혀주십시오"라는 기도를 하기로 결론을 내렸던 것이다.

만일 야베스가 월 스트리트에서 일을 했더라면 그는 아마도 "하나님, 제가 투자한 주식의 가치를 올려주시옵소서"라고 기도했을 것이다. 기업의 대표들과 이야기할 경우에 나는 이 특별한 마음가짐에 대해 설명을 하곤 한다. 그리스도인 경영자들이 "하나님께 사업을 확장시켜주시기를 기도해도 될까요?"라고 물을 때 나는 "물론이죠!"라고 대답한다. 당신이 하나님의 방법을 따라 사업을 하기만 한다면 더 많은 것을 구하는 것은 당신의 권리일 뿐 아니라, 하나님께서는 당신이 구하기를 기다리고 계신다. 당신의 사업은 하나님께서 당신에게 맡겨주신 지경이다. 하나님께서는 당신이 그것을 하나님의 영광을 위해 사람들과 사업계와 그리고 더 넓은 세상에 영향을 미칠 수 있는 소중한 기회로 받아들이기를 원하신다. 하나님께 기쁨을 드리는 기회를 넓혀주시기를 간구하라.

야베스에게 아내와 어머니가 있었다고 생각해보자. 그렇다면 그는 아마도 "주님, 가족을 더해주시고, 제게 소중한 가족들에게 호의를 베풀어주시며 당신의 영광을 위해 우리 가정이 더 많은 영향을 미칠 수 있게 해주시옵소서"라고 기도했을 것이다. 당신의 가정은 하나님을 위해 사람들의 삶에 변화를 일으킬 수 있는 가장 강력하고도 유일한 터전이다. 하나님께서 하나님을 위해 당신의 가정을 힘 있게 세우고 싶어하지 않으시겠는가?

당신이 어떤 직업에 종사하고 있건, 더 넓은 지경을 구하는 야베스의 기도는 다음과 같을 것이다.

왕 되신 하나님, 당신의 영광을 위해 제게 더 많은 기회를 주시고, 제가 더 많은 사람들에게 영향을 미칠 수 있게 해주시옵소서. 당신을 위해 더 많은 일을 하게 하옵소서!

이런 기도를 드릴 때 정말로 기대할 만한 일들이 일어나게 될 것이다.

경계선을 넘어서

몇 년 전 캘리포니아에 있는 한 기독교 대학에서 일주일동안 강의를 하면서 나는 학생들에게 더 많은 복과

더 많은 영향력을 구하는 야베스의 기도를 하도록 도전
했다. 2,000명으로 구성된 학생회에 학교의 명예에 걸
맞는 사역 목표를 세워볼 것을 제안했다.

"세계 지도를 보고 한 섬을 정하면 어떻겠는가? 그
섬을 정하고 나면 팀을 구성하고, 비행기를 한 대 전세
내서 하나님을 위해 그 섬을 취하러 가라"고 제안해주
었다.

어떤 학생들을 큰 소리로 웃었고, 어떤 학생들은 혹
시 내가 정신 나간 말을 하는 것은 아닌가 싶어 의아해
했다. 그러나 대부분의 학생들은 듣고 있었다. 나는 계
속했다. 나는 전에 트리니다드라는 섬에 가보았고 거기
서 필요성을 느꼈다. 그래서 "하나님께 트리니다드를
구해야 할 것이다. 그리고 DC-10도 한 대 구하라"고 말
했다.

즉각적인 반응을 보인 학생은 아무도 없었다.

그러나 그 도전은 학생들 사이에서 활기 찬 대화를 불러일으켰다. 대부분의 학생들은 그들이 가진 재능과 시간을 가지고 무언가 의미 있는 일을 하고 싶어하며, 단지 어떻게 시작해야 하는지를 모르고 있을 뿐이라는 사실을 알게 되었다. 그들은 일반적으로 학생들에게는 기술과 돈, 용기 혹은 기회가 부족하다는 말을 듣고 그 말에 큰 비중을 두고 있었다.

그 한 주 내내 나는 다음과 같은 질문들을 하며 많은 시간을 보냈다. "하늘의 하나님께서 당신을 끝없이 사랑하시고, 당신이 매 순간 그분의 임재 속에서 살아가기를 원하신다면 그리고 천국이 이곳보다 훨씬 더 좋은 곳이라는 걸 아신다면 하나님께서 당신을 이곳에 남겨 두시는 이유는 무엇인가?" 이 질문에 대해 나는 내가 성경적이라고 이해하고 있는 대답을 해주었다. 그것은 그들이 하나님을 위해 지경을 넓히고 - 어쩌면 섬으로까지 - 하나님의 이름으로 사람들에게 영향을 미치게 되기를 원하시기 때문이다.

하나님께서 일하셨다. 내가 집으로 돌아온 지 일주일쯤 지나서 나는 워렌(Warren)이라는 학생으로부터 편지를 받았다. 그는 친구 데이브(Dave)와 함께 하나님의 능력에 도전하기로 결심하고, 그들에게 복을 주시고, 그들의 지경을 넓혀주시도록 기도하고 있다고 했다. 구체적으로 그들은 그 주말에 정치인들에게 전도할 기회를 주시도록 기도했다. 그리고 워렌의 승용차에 침낭을 던져 넣고 둘은 수도의 문을 두드리기 위해 400마일을 여행했다.

그 편지는 다음과 같이 계속되었다.

우리가 새크라멘토에서 돌아온 주일날 밤까지 다음과 같은 일들이 일어났습니다.

우리는 주유소에서 일하던 두 사람에게 그리고 경비원 네 명과 국가 경비대의 대장과, 캘리포니아 주의 교육, 보건, 복지 관리부의 총무 그리고 고속도로 순찰대의 대장, 주지사의 비서 그리고 마지막으로 주지사에게 우리의 믿음을 나누어주었습니다.

하나님께서 우리를 크게 하실 때 우리는 감사를 드리며 놀라지 않을 수 없었습니다. 당신의 도전에 다시 감사를 드립니다!

그것은 단지 시작에 불과했다. 그 후 몇 주 동안 그리고 몇 달 동안 더 넓은 지경에 대한 꿈이 캠퍼스를 휩쓸었다. 가을이 되었을 때 워렌과 데이브가 인도하는 학생 팀이 '야베스 작전'이라고 이름 붙인 다음 해 여름 선교 활동을 준비했다. 그들의 목표는 자비량 학생 선교 팀을 조직하고 당신도 짐작하듯이 제트 비행기를 전세 내어 여름 사역을 위해 트리니다드 섬으로 날아가는 것이었다.

그들은 그렇게 했다. 126명의 학생들과 교수들이 그 일에 동참했다. 꽉 찬 제트 비행기가 로스앤젤레스를 이륙했을 때 야베스 작전 팀은 이미 드라마와 건축, 여름 성경 학교와 음악 그리고 가정 방문 등의 사역을 위한 훈련을 받은 팀으로 준비되어 있었다. 그 대학의 학장은 야베스 작전을 학교 역사상 처음 벌어진 학생들에 의한 가장 중요한 사역이라고 했다.

두 학생이 그들의 지경을 넓혀주시도록 하나님께 간구했고, 하나님께서는 그렇게 하셨다! 짧은 기도가 경

계선을 다시 그려놓았고 수천 명의 사람들의 삶에 영향
을 미쳤다.

"이것을 제가 감당할 임무라고 생각합니다"

야베스의 요청은 혁신적인 것이었다. "하나님, 제게
복을 주세요!" 라고 간구하는 기도를 듣게 되는 일이 그
리 평범하지 않은 것만큼이나 "하나님, 제가 더 많은 일
을 하게 해주세요!" 라고 간구하는 기도도 흔하게 들을
수 있는 것은 아니다. 우리들 대부분은 이미 너무 많은
일에 쌓여 있다고 생각한다. 그러나 믿음으로 더 많은
사역을 구할 때 놀라운 일들이 벌어진다. 당신에게 일
할 기회가 확장되면 당신의 능력과 자원은 초자연적으
로 증대된다. 그리고 곧바로 당신의 기도를 기뻐하시는
하나님과, 당신을 통해 위대한 일들을 이루고자 하시는

그분의 절박함을 느끼게 될 것이다.

사람들이 집으로 찾아올 것이고, 당신 옆으로 와서 식사를 하게 될 것이다. 그들은 자신들 스스로도 놀라게 될 일들에 대해 이야기를 시작할 것이다. 자신들도 잘 알지 못하는 것들을 요청하면서 당신의 반응을 기다릴 것이다.

나는 이런 일들을 야베스에게 지정된 것들이라고 부를 것이다.

내가 처음으로 지경을 넓혀주시기를 기도했던 때를 기억하고 있다. 그것은 아주 이상한 곳, 터키 해안에서 떨어진 선상에서였다. 그때 나는 초대교회의 발자취를 따라 지중해 연안 지역을 전문적으로 안내하는 여행사를 찾아다니며, 혼자 여행을 하고 있었다. 시간적인 여유를 충분히 누리면서 선상에서의 아름다운 날들을 보내고 있었지만, 시간이 지나면서 나는 조금씩 외로워지기 시작했다. 요한이 요한계시록을 썼던 밧모 섬에 정박하던 날 아침, 나는 최악의 상태에 빠졌다.

안내원을 따라 섬을 돌아보는 대신 나는 항구에서 이어진 좁은 길을 따라 걸으며 "주님, 저는 지금 너무 힘이 없고, 그냥 집으로 가고 싶습니다. 그렇지만 주님의 종이 되고 싶습니다. 지금이라도 제 지경을 넓혀주시고 저를 필요로 하는 사람을 보내주시옵소서"라고 기도했다.

작은 광장에 들어서서 나는 노천 카페에 앉아 커피를 주문했다. 몇 분이 지난 후 뒤에서 누군가 "답사차 온 배를 타고 오셨지요?"라고 물었다. 나를 향해 다가오는 청년을 바라보며 "그런데요. 당신은요?"라고 물었다.

그는 그 섬에 사는 미국인이라고 말하며 같이 앉아도

되는지를 물었다. 그의 이름은 테리(Terry)라고 했다.
몇 분도 채 지나지 않아 그는 자신의 이야기를 쏟아놓
았다. 결혼 생활이 깨어진 상태였고 아내는 그 날 저녁
까지 집을 나가겠다고 선포한 상황이었다.

그 순간에 내가 무슨 생각을 했는지 알 것이다. '주
님, 이 일은 제게 지정된 일이라 생각됩니다. 받아들이
겠습니다.'

"아내가 떠나기를 바라시나요?"라고 묻자 그는 아니
라고 대답했다.

"몇 가지 아이디어가 있는데 들어보시겠습니까?"라
고 물었다. 그가 그렇게 하겠다고 했을 때 나는 또 하나
의 야베스의 경험을 하도록 주님께서 허락해주신 일이
라는 것을 알았다. 그리고 한 시간 가량 행복한 결혼 생
활에 대한 몇 가지 중요한 성경적인 원리들을 말해주었

다. 그때까지 테리는 그런 얘기를 한 번도 들어보지 못했었다.

내 이야기가 끝났을 때 테리는 자신의 결혼 생활을 되찾기 위해 그 새로운 통찰력들을 시험해보고 싶은 마음으로 조급해져서 벌떡 일어섰다. 나는 "잠깐만요. 테리 씨, 오늘 당신과 아내 사이에 어떤 일이 일어나게 될지를 정말 알고 싶어요. 어떤 일이 벌어지건 배가 떠나기 전에 저를 찾아와서 알려주세요. 그렇게 해주시겠지요?"라고 물었다.

테리는 그렇게 하겠다고 대답하고는 손을 흔들며 황급히 떠났다. 그날 저녁 사람들이 모두 배로 돌아왔다. 나는 갑판 위를 걸으며 기다렸다. 나는 계속 외로웠고, 약간은 산란한 마음으로 테리가 커피를 마시며 무슨 생각을 했을지를 다시 짐작해보기 시작했다. 선장은 우리

의 출발을 알리는 마지막 기적을 울렸고, 나는 선원들이
바쁘게 밧줄을 던지고 있는 배 후미를 향해 걸어갔다.
그리고 거기서 젊은 한 쌍이 손을 잡고 해안을 따라 우
리를 향해 달려오고 있는 것을 보게 되었다. 난간에 기
대어 서 있는 나를 볼 수 있을 정도로 가까이 다가와서
는 "효과가 있었어요! 모든 것이 다 잘되었어요. 우리는
다시 함께 살기로 했어요!"라고 큰 소리로 외쳤다.

하나님께서 하신 일에 너무나 흥분한 나는 나머지 여
행 기간 동안 마치 그냥 둥둥 떠다니는 것 같았다. 하나
님께서는 그 젊은이와 나와의 만남을 이루어주셨다. 내
가 그분을 섬기는 나의 지경을 넓혀주시기를 간구했던
바로 그 순간부터 우리 두 사람을 서로에게로 이끄셨던
것이다.

하나님의 계산 방법을 따라 사는 삶

우리가 가진 재능이 무엇이건, 어떤 교육을 받았건, 어떤 일에 종사하고 있건 우리는 이 땅에서 하나님의 일을 하도록 부르심을 받았다. 당신이 원한다면, 그것을 믿음을 따라 다른 사람들을 위해 사는 삶이라고 말할 수도 있다. 혹은 사역이라고 부를 수도 있다. 또 모든 그리스도인들의 매일의 삶이라고 부를 수도 있다. 어떻게 부르건 간에 안타까운 일은 대부분의 그리스도인들이 이런 복을 받고 영향을 미치는 삶을 살고 있지 못하기 때문에 하나님께서는 그의 일을 더 많이 하기 원하는 사람을 찾고 계신다는 사실이다.

대부분의 우리의 망설임은 계산을 맞추려고 하는 데서 나오지만 사실 우리의 계산은 완전히 틀린 계산이다. 예를 들어, 하나님께서 우리를 위해 얼마나 큰 지경을 준비하고 계시는지를 우리가 결정하려고 할 때 우리는 다음과 같은 덧셈 공식을 따른다.

나의 능력 + 경험 + 훈련 + 인격과 외모 + 과거
+ 다른 사람의 기대 = 나에게 주어지는 지경

우리를 통해 일하시는 하나님의 능력에 대한 설교를 얼마나 여러 번 들어왔건 우리는 '통해' 라는 이 한 마디가 가지는 의미를 놓치고 있다. 물론 우리는 하나님께서 우리를 통해 일하시기를 원한다고 말한다. 그러나 그 말을 할 때 실제로 우리는 '~에 의하여' 혹은 '~와 함께' 등을 의미한다. 하나님께서 유대인들을 포로 생활을 마치고 약속된 고향 땅으로 돌아오게 하셨을 때 "이는 힘으로 되지 아니하며 능으로 되지 아니하고 오직 나의 신으로 되느니라"(슥 4:6)고 하셨던 것과 같은 말씀을 하나님께서는 우리에게도 기억시켜주고 계신다.

하나님은 자신들을 통해 일하실 초월적인 하나님을 믿는 평범한 사람들을 통해 일하시는 데 전문가시다. 하나님이 기다리시는 것은 초청이다. 그것은 하나님의 수학 공식이 다음과 같다는 것을 뜻한다.

나의 의지와 연약함 + 하나님의 뜻과 초월적인 능력 = 나의 확장된 지경

하나님께 영광을 돌리기 위해 더 많은 영향을 미치고, 더 많은 일을 할 수 있게 해주시기를 정직하게 구하면 하나님께서 기회를 주시고, 사람들을 당신에게로 보

내주실 것이다. 하나님의 인도하심과 그분의 능력으로 당신이 도울 수 없는 사람은 당신에게 절대로 보내지 않으신다는 사실을 믿어도 된다. 하나님을 위해 새로운 지경을 취하기 시작할 때 거의 언제나 두려움을 느끼게 될 것이다. 그러나 지경을 넓혀갈 수 있도록 당신을 이끌어가시는 하나님의 엄청난 전율 또한 경험하게 될 것이다. 당신은 할 말을 필요로 하는 바로 그 순간에 할 말이 주어지는 경험을 했던 요한과 베드로와 같이 될 것이다.

하루는 사역을 확장시켜주실 것을 간구한 달린의 기도에 대한 응답으로 잘 알지 못하는 한 이웃이 우리 집을 찾아왔다. 눈물을 흘리며 그녀는 "사모님, 제 남편이 위독한데 도와줄 사람이 아무도 없어요. 절 좀 도와주세요!"라고 했다.

더 넓은 지경, 내가 감당해야 할 내 임무였다!

얼마 전 기차를 타고 가며 나는 다시 하나님께 나의 지경을 넓혀주시기를 기도했다. 식당 칸으로 가서 식사를 하면서 하나님을 필요로 하는 사람을 보내주시도록 요청했다. 한 여자가 내가 앉은 테이블에 앉으며 물어볼 것이 있다고 했다. 그녀는 내 이름은 알고 있었지만 나에 대해서는 아는 바가 거의 없었다. 그녀는 상당히 혼란스러워 보였다.

그래서 나는 "어떻게 도와드릴까요?" 라고 물었다.

그녀는 "전 적그리스도가 무서워요. 50년 동안이나 적그리스도가 와도 알아보지 못하고 동물의 표를 받게 될 것을 두려워하며 살았어요"라고 대답했다.

그 후에는 다시 만나지 못했지만 그녀의 그 직선적인 질문으로 대화가 시작되었고, 결국 아름다운 영적 구출

이 이루어졌다.

더 넓은 지경, 내가 감당해야 할 내 임무였다!

앞 자리

더 넓은 지경을 간구하는 기도는 기적을 요청하는 일이다. 그렇게 단순 명료하다. 기적은 정상적으로는 일어나지 않는 일을 일어나게 하려고 하나님께서 간섭하실 때 일어나는 일이다. 그것은 야베스가 자신의 이름에 부여된 한계를 초월해서 환경을 변화시켰던 바로 그 일이었다.

여전히 기적이 일어날 수 있다고 생각하는가? 내가 만난 많은 그리스도인들은 그렇게 생각하지 않았다. 나는 그들에게 기적이 초월적인 사건이 되기 위해 자연의 법칙을 깨뜨릴 필요는 없다는 것을 상기시켜주었다. 그

리스도께서 폭풍우를 잔잔하게 하셨을 때 그분은 폭풍
우는 결국 저절로 잠잠해지게 된다는 보편적인 법칙을
무시하지 않으셨다. 대신 그분은 기후의 패턴을 지배하
셨던 것이다. 엘리야가 비를 멈추어주시도록 기도했을
때 하나님께서는 가뭄과 비의 자연적인 주기를 지배하
셨다.

마찬가지로 테리의 필요를 아시고 우리를 밧모 섬에
서 만나게 하셨을 때 기적적으로 일하시는 하나님의 능
력이 분명하게 드러났다. 그리고 기차에서 만났던 그
여인의 필요를 아시고 하나님께서 우리의 대화가 이루
어지도록 하셨다.

내가 경험한 가장 신나는 기적들은 언제나 하나님의
나라를 크게 확장시켜주실 것을 간구하는 담대한 기도
와 함께 시작되었다. 작게 시작할 때는 하나님의 도움

을 필요로 하지 않는다. 우리의 능력으로는 성취할 수 없는 이 세상을 위한 하나님의 계획이라는 거대한 물결 속으로 뛰어들 때 우리는 "기적을 일으키시는 주님, 저를 사용해주십시오. 제가 더 많은 사역을 할 수 있게 해주십시오!"라고 간청하게 된다. 그리고 그 순간 하나님께서 당신이 필요로 하는 천사와 자원과 능력을 보내주신다. 나는 이런 일들이 일어나는 것을 수백 번도 더 보아왔다.

하나님의 일정을 우리의 일정보다 앞세우고, 그것을 위해 노력할 때 언제나 하나님께서 개입하신다. 지경을 넓혀주시도록 주님께 기도하면 놀랍게도 그분의 멋진 응답을 알아보게 된다. 그러면 당신은 기적을 경험하는 삶의 앞 자리를 차지하게 될 것이다.

넷. 위대한 접촉

주의 손으로 나를 도우사

일을 저지르고 말았다. 정신 나간 짓이었다. 이제 더 이상 방법이 없다. 냉엄한 현실을 직면하라. 그동안 쌓아온 삶의 터전들을 이제 더 이상 의지할 수 없게 되었다.

확장된 사역을 용감하게 구했던 많은 그리스도인들이 영적 변화를 일으키는 시점에서 이렇게 주저 앉아버린다. 그들은 상상할 수 없을 만큼의 복을 받았다. 그들은 영향을 미치고 기회를 잡을 수 있도록 그들의 지경을 넓혀주시는 하나님을 보았다.

그러나 갑자기 날개가 접히고 무기력하게 추락해버리고 만다.

이런 상황이 익숙하게 들리는가? 어쩌면 새로 시작한 사업이 당신이 가진 경험과 자원의 한계를 넘어서면서 위협을 느끼게 할 수 있을 것이다. 당신의 집에서 모이기 시작했던 청소년들이 갑자기 당신으로부터 긍정적인 영향을 받기보다는 당신의 가족에게 부정적인 영향을 미치는 것처럼 보일 수도 있을 것이다. 당신이 기도하고 시작한 새로운 사역이 당신보다 훨씬 더 많은 능력을 가진 사람을 필요로 하는 것처럼 보일 수도 있을 것이다.

하나님이 주신 복을 두 팔 가득 안고 새로운 지경으로 나아갔다가 새로운 환경에 압도되어 그만 비틀거린다. 대부분의 그리스도인들이 이런 기대치 않았던 곤경에 빠지게 되면 두려움을 느낀다. 속았다고 느낀다. 버림받은 것처럼 생각한다. 그리고 약간 화도 난다.

나도 그런 경험을 했다.

추락으로 얻게 되는 능력

추락에 대해 이야기해보자! 추락하면서 우리는 지도자라면 보통 느껴서는 안 되는 것으로 여겨지는 통제력의 상실과 연약함을 경험하게 된다. 그리고 한동안 눈에 보이는 것은 사정없이 몰려오는 단단한 지표면뿐이다. 내가 그 추락을 경험한 것은 모험적인 사역을 시작한 초기였는데 Walk Thru the Bible 사역에 신나는 새로운 가능성들이 활짝 열린 바로 직후였다. 그때 나는 그런 일들을 하기에 내가 적당한 사람이 아니라는 생각을 떨쳐버릴 수가 없었다.

혼란스러운 마음을 안고 나는 신뢰할 만한 어른을 찾아 조언을 들어보기로 했다. 존 미첼(John Mitchell)은 그 때 80대의 노인이었고, 요크셔 출신으로 성경을 가르치며 수천 명의 사람들에게 영적인 아버지 역할을 해왔다. 나는 그에게 하나님께서 나를 부르셨다고 생각한다는 말을 한 다음 나의 문제를 이야기했다. 내가 당한 위기를 한참 설명하고 있을 때 그가 나의 말을 가로막았다.

그는 친근감이 느껴지는 사투리로 "여보게, 자네의 그런 느낌을 의뢰라고 부르는 걸세. 무슨 말이냐 하면 자네가 주 예수님과 동행하고 있다는 뜻이지"라고 말했다. 그는 내가 그의 말을 소화할 수 있도록 잠시 기다린 후 계속해서 말을 이었다. "자네가 의뢰하지 않아도 된다고 느끼는 그 순간이 바로 자네가 믿음으로 사는 삶을 정말로 저버리는 순간이 되는 거라네."

내게는 그의 말이 별로 달갑질 않았다. 그래서 "미첼 박사님, 제가 할 수 없을 것처럼 느껴지는 것이 자연스런 일이란 말씀이신가요?" 라고 물었다.

그는 활짝 웃으며 "그렇지. 왜 마음에 안 드나? 자넨 아무 이상 없네" 라고 말했다.

그것은 겁나는 그리고 무지하게 신나는 사실이었다. 그렇지 않은가? 하나님께서 선택하고 복 주신 아들로서 그리고 딸로서 우리는 하나님께서 간섭하지 않으시면 실패가 보장된 그런 큰 일들을 시도하도록 되어 있다. 잠시 동안 기도하는 마음으로 다음의 내용들이 당신이 인간적으로 결정하는 모든 일들과 얼마나 상반되는지를 잘 생각해보라.

• 상식에 어긋나는 일이다.

• 이전의 경험들과 상반된다.

• 당신의 느낌과 훈련과 안전에 대한 필요를 고려하지
  않는 듯하다.

• 당신을 바보처럼 혹은 실패자처럼 보이게 한다.

그러나 그것이 하나님께서 가장 소중히 여기시는 종
들을 위한 그분의 계획이다.

화려한 은막의 영웅들은 너무도 잘나서 누군가를 신
뢰할 이유를 못 느끼는 것 같다. 그러나 당신과 나는 무
언가를 신뢰할 수밖에 없는 존재다. 하나님에 대한 신
뢰는 야베스와 당신과 나 같은 평범한 사람들을 영웅으
로 만든다. 어떻게? 우리는 야베스가 했던 세번째의 간
절한 기도를 부르짖어야 한다.

"주의 손으로 나를 도우사" 라고.

그 기도는 불가능해 보이는 일들을 통해 하나님께 영광을 돌리고, 하나님의 뜻이 이루어지도록 하나님께서 그분의 능력을 사용하실 수 있게 한다.

야베스가 주님의 손이 그와 함께하시기를 간구하는 기도를 먼저 하지 않았다는 것에 주의를 기울이라. 처음에 그는 그 필요를 느끼지 않았다. 그래도 일들은 감당할 만했다. 일에 따르는 위험과 두려움이 그리 크지 않았다. 그러나 자신의 지경이 넓어지고, 하나님의 일정에 따른 왕국 수준의 과업이 주어지자, 야베스는 주님의 손이 함께하셔야 한다는 것을 금방 알게 되었다. 그는 포기하고 돌아서거나 아니면 자신의 힘으로 하려고 했을 수도 있었다. 그러나 그렇게 하는 대신 그는 기도했다.

하나님께 복을 구하는 것이 우리가 드리는 최고의 예배라면 그리고 하나님을 위해 더 많은 것을 구하는 것이 우리가 추구하는 최고의 야망이라면, 하나님의 손이 우리와 함께하시기를 구하는 것은 우리 속에서 하나님께서 시작하신 위대한 일들이 유지되고 계속되도록 하기 위한 우리의 전략적인 선택이 된다.

그래서 우리는 우리와 함께하시는 주님의 손을 '위대한 접촉'이라고 부를 수 있는 것이다. 우리가 위대해지는 것이 아니라 하나님의 강한 손을 의지하게 되는 것이다. 우리가 감당할 수 없던 일들이 하나님의 무한한 기회로 바뀌는 것이다. 그리고 우리를 통해 하나님께서 위대해지신다.

구름에 닿은 계단

우리 아이들이 학교에 들어가기 전 달린과 나는 아이들을 데리고 남부 캘리포니아의 한 도시에 있는 커다란 공원에 갔었다. 그 공원은 어른들에게 다시 아이가 되고 싶은 기분이 들게 하는 그런 곳이었다. 거기에는 그네, 철골 놀이기구, 시소 등이 있었고 무엇보다 타보고 싶은 미끄럼틀도 있었다. 그것도 하나가 아니고 작은 것, 중간 크기 그리고 아주 큰 것 이렇게 세 개나 있었다. 그 당시 5살이었던 데이빗은 작은 미끄럼틀이 있는 곳으로 총알처럼 달려나갔다.

"같이 타보지 그래요?" 달린이 제안했다.

그러나 나는 생각이 달랐다. 그래서 "좀 기다리면서 봅시다"라고 말하고 옆에 있던 의자에 앉아 미끄럼틀 쪽을 바라보고 있었다. 데이빗은 가장 작은 미끄럼틀

위로 신나게 기어올라갔다. 우리 쪽을 향해 손을 흔들어 보이고는 함박 웃음을 지으며 미끄럼을 탔다.

그리고는 곧장 중간 크기의 미끄럼틀로 옮겨갔다. 그리고 계단을 반쯤 올라가다가 뒤를 돌아 내가 있는 쪽을 바라보았다. 나는 고개를 다른 쪽으로 돌렸다. 데이빗은 잠시 자신의 결정을 생각해보더니 조심스럽게 한 계단씩을 내려왔다.

아내는 "여보, 당신이 가서 좀 도와줘야 할 것 같은데요"라고 말했다.

나는 눈을 반짝이며 관심이 없어서 그런 것이 아니라는 점을 아내에게 알려주는 뜻에서 다시금 "아니, 아직 좀더 두고 봅시다"라고 말했다.

데이빗은 중간 크기의 미끄럼틀 아래에 서서 잠시 동안 다른 아이들이 미끄럼 타는 것을 바라보고 있다가 다시 시도해보려고 미끄럼틀 주위를 뛰어다녔다. 결국 그의 작은 마음은 할 수 있다는 결정을 내렸다. 그리고는 기어올라가 미끄러져 내려왔다. 우리를 쳐다보지도 않고 세 번을 그렇게 탔다.

잠시 후 그 아이를 바라보고 있던 우리의 눈길은 가장 큰 미끄럼틀 쪽으로 옮겨갔다. 달린은 이제 좀 걱정이 되는 듯 "여보, 혼자 하도록 그냥 두면 안 될 것 같아요. 안 그래요?"라고 말했다.

나는 가능한 한 조용히 "응, 그치만 혼자 하려고 할 것 같은데 좀 더 두고 봅시다"라고 대답했다.

그 커다란 미끄럼틀 아래에 도착한 데이빗은 돌아서서 큰 소리로 "아빠!"하고 불렀다. 나는 못 들은 척하며 다른 곳을 바라보고 있었다.

그는 계단을 유심히 올려다보았다. 그 어린 마음에

그 계단은 분명히 구름에 닿아 있는 것 같았을 것이다. 그는 신나게 미끄럼틀을 타고 내려오는 십대 소년을 바라보았다. 그리고는 모든 역경을 딛고 시도해보기로 결정하고는 계단을 약 삼분의 일쯤 오르다 그만 얼어붙고 말았다. 뒤를 따라 오르던 아이는 계속 올라가라고 소리를 질렀다. 그러나 데이빗은 움직일 수가 없었다. 그는 올라가지도 못하고 내려가지도 못하는 특별한 실패의 순간을 겪고 있었다.

나는 달려가서 미끄럼틀 밑에 서서 "괜찮으니?"라고 물었다.

그는 나를 내려다보며 떨고 있었지만 동시에 강철 같은 결심을 하고서 계단에 매달려 있었다. 나는 그가 이미 나에게 같이 타자고 할 준비가 되어 있다는 것을 알수 있었다.

"아빠, 저랑 같이 미끄럼 타실 거예요?"라고 물었다. 뒤에서 소리치던 아이는 더 참을 수 없다는 듯이 성화를 했지만 나는 그 순간을 놓칠 수 없었다.

그래서 "왜?"라고 물으며 데이빗의 작은 얼굴을 올려다보았다.

"혼자서는 못하겠어요. 아빠, 저한테는 이 미끄럼틀이 너무 높아요"라고 떨면서 말했다.

나는 펄쩍 뛰어올라가 데이빗을 팔로 안았다. 그리고 우리는 구름에 닿은 그 긴 계단을 같이 올라갔다. 꼭대기에서 나는 두 다리 사이에 아들을 앉히고 두 팔로 감싼 뒤 함께 미끄럼을 탔다. 미끄러지는 내내 우리는 신나게 웃었다.

그분의 손, 그분의 영

우리 하나님 아버지의 손이 바로 그렇다. 우리는 "아버지, 같이 해주세요. 혼자서는 할 수가 없어요. 제가 하기에는 너무 커요!" 라고 말한다. 그리고 그분의 손을 통해서만 가능한 것을 시도하기 위해 믿음을 가지고 발걸음을 떼어놓는다. 그런 다음 우리는 마음을 다해 "하나님께서 하셨다. 그 누구도 아니다! 하나님께서 나와 함께하셨고, 내게 할 말을 주셨으며, 능력을 주셨다. 모든 것이 정말 멋지다!" 라고 외치게 된다.

이런 초자연적인 삶을 더 이상 어떻게 추천해주어야 할 지 모르겠다!

우리를 떠받치면서, 우리 안에서 그리고 우리를 통해서 넘실거리는 하나님의 능력은 우리의 신뢰를 결코 잊을 수 없는 완벽한 경험으로 바꾸어준다. 바울은 "우리가 무슨 일이든지 우리에게서 나간 것같이 생각하여 스스로 만족할 것이 아니니 우리의 만족은 오직 하나님께로서 났느니라. 저가 또 우리로 새 언약의 일꾼 되기에 만족케 하셨으니"(고후 3:5-6) 라고 썼다.

성숙한 그리스도인들마저도 하나님의 손길을 경험해보지 못했기 때문에 하나님의 손길을 바라지도 않고 구하지도 않는다는 것은 정말 너무나 비극적인 일이다. 하나님의 손길이 있다는 것조차도 거의 모르고 있다. 자신들을 위해서가 아니라 사도나 선지자들만을 위해 따로 보관된 것이라고 생각된다. 어떤 실패의 순간을 맞이하게 되면 그들은 '내가 너무 지나쳤어. 결국 잘못되고 만 거야. 내가 가질 수 있는 모든 자원은 이미 가지고 있으니까 될 수 있는 대로 빨리 빠져나가야겠어' 라는 잘못된 결론을 내린다.

그들과는 달리 야베스는 함께하시는 하나님의 손길이 복에 없어서는 안 될 요소임을 확신했기 때문에 그것이 빠진 영광스러운 삶은 생각조차도 할 수 없었다. 그가 한 기도의 내용을 좀 더 자세히 살펴보자.

'하나님의 손' 은 하나님의 백성들 속에 살아 계시는 하나님의 임재와 능력을 묘사하는 성경의 표현이다(여호수아 4:24와 이사야 59:11을 참조하라). 사도행전에 나타난 초대교회의 놀랄 만한 성공은 "주의 손이 그들과 함께 하시매 수다한 사람이 믿고 주께 돌아오더라" (행 11:21)는 말로 요약되어 있다. 신약 성경에 나타난 하나님의 손에 대한 보다 구체적인 묘사는 '성령의 충만' 이다. 교회의 성장은 하나님의 사역을 이루는 데 필요할 뿐 아니라, 사용할 수 있도록 준비되어 있는 하나님의 손에 대한 강력한 증거가 된다.

    야베스의 기도가 더 많은 복으로부터 시작해서 더 넓
은 지경 그리고 초자연적인 능력의 필요로 자연스럽게
발전해나가고 있음을 염두에 두라. 제자들에게 "그러므
로 너희는 가서 모든 족속으로 제자를 삼아 … 볼지어다
내가 세상 끝날까지 너희와 항상 함께 있으리라" (마
28:19-20) 는 지상 대명령을 위임하셨을 때 예수님께서
는 그들에게 엄청난 복과 불가능한 과업을 주신 것이었
다. 온 세상으로 가서 설교를 하라? 분명히 실패하고 말
것이 틀림없었다. 모닥불 곁에 서 있던 보잘것없는 한
여자 아이 앞에서조차 예수님을 모른다고 부인했던 믿
을 수 없는 겁쟁이로 드러난 베드로와 같은 사람에게
그 일을 맡기시지 않았는가 말이다!

    그러나 성령님을 보내셨을 때(행 1:8) 예수님께서는
자신을 믿는 평범한 사람들을 그분의 기적적인 능력으

로 채워주시고, 복음을 전하는 위대한 사람들이 되도록
어루만지셨다. 실제로 누가가 기록한 사건들 속에서
'성령으로 충만한' 이라는 구절이 종종 '담대히 말하
다' (사도행전 4:13, 5:29, 7:51, 9:27을 참조하라)라는 구
절과 함께 나오는 것을 볼 수 있다. 그들을 통해 일하셨
던 하나님만이 기적과 그에 따른 수많은 사람들의 회심
을 설명해줄 수 있다.

　야베스와 초대교회 성도들이 했던 것처럼 우리가 하
나님의 전능하신 임재를 구한다면 우리도 하나님의 손
으로부터 나온 것이라고 밖에는 설명할 수 없는 그런
엄청난 결과를 보게 될 것이다.

　초대교회의 성도들은 계속해서 하나님으로 채워지
기를 구했다는(사도행전 4:23-31을 보라) 사실이 내게는
큰 충격으로 다가왔다. 그들은 모여 몇 시간 혹은 며칠

씩 기도하며 하나님을 기다리고, 하나님의 능력을 구한 공동체로 알려져 있었다(사도행전 2:42-47을 보라). 그들은 하나님의 '손', 즉 절박한 실패를 기적으로 바꾸어 주고, 엄청난 과업을 이룰 수 있게 해주는 하나님의 능력으로 채워진 신선한 영적 충만함을 간절히 사모했다.

바울은 에베소 교인들에게 '하나님의 충만하심으로 채워지는' 것을(엡 3:19) 가장 우선시하라고 했다. 동시에 그는 하나님께서 그들을 복 주시고 '성령의 능력으로' 강건하게 해주시기를 기도했다(엡 3:16).

당신의 교회가 가장 최근에 한자리에 모여 성령으로 충만케 해주시기를 간구한 때는 언제인가? 정기적으로 그리고 열정적으로 "하나님, 주님의 손을 제게 얹어주시고, 주님의 성령으로 채워주십시오!"라고 기도한 때는 언제였는가? 다른 방법으로는 로마 세계에 복음이 그렇게 급속도로 전해지는 일이 일어날 수 없었다.

십대 아이 열두 명과 사라진 달걀

오래 전, 내가 뉴저지에 있는 한 교회에서 청년 사역을 하고 있을 때 열두 명의 고등학교 학생들이 하나님의 손은 그것을 구하는 모든 이들을 위해 준비되어 있다는 사실을 증명해주었다. 우리는 기도하면서 뉴욕 주에 있는 롱아일랜드의 외각 지대에서 여름 사역을 갖기로 계획을 세웠다. 우리의 목표는 6주 동안 그 지역의 젊은이들에게 전도하는 것이었다.

우리는 세 가지 전략을 세웠다. 먼저 야외에서 성경 공부를 시작하고, 오후에는 해변으로 나가 전도를 한 다음, 저녁에는 그곳 지역 교회와 함께 전도 집회를 갖기로 했다. 간단하게 들리겠지만 청년회를 맡고 있는 목

사를 포함해 아이들이 그 사역의 방대함에 압도되었음
은 말할 필요가 없다.

우리는 롱아일랜드에서 어린이 사역을 하는 전문가
를 초빙해 훈련을 받았다. 그는 우리 선교 팀에게 13-14
명의 아이들을 모을 수만 있어도 대성공이 될 것이라고
했다. 그가 떠난 후 우리는 조용히 "만일 이번 주말까지
우리가 100명의 아이들을 모을 수 없으면 우리는 실패
한 거라고 봐야 해" 라고 말했다.

갑자기 우리는 모두 무릎을 꿇고 기도하고 싶은 간절
한 마음이 생겼다.

"주님, 우리에게 복을 주십시오!" "주님, 제 능력 밖
의 일이라는 걸 알지만 100명의 아이들을 주세요!" "주
님, 당신의 영광을 위해 당신의 영으로 놀라운 일을 이
끌어내주시기 원합니다!" 라고 하던 그 젊고 솔직한 기

도들을 나는 결코 잊지 못할 것이다.

부모들은 계속해서 우리가 불가능한 일을 시도하고 있다고 말했다. 그들이 옳다는 걸 나도 알았다. 그러나 그 불가능한 일은 일어나기 시작했다. 6개의 팀 중 4개 팀에는 첫 주에 이미 100명 이상 되는 아이들이 몰려들어 자리를 메웠다. 어떤 팀들은 아이들이 전부 들어갈 수 있는 넓은 뜰이 있는 곳을 찾아 자리를 옮겨야 했다. 주말까지 우리는 500여 명이 넘는 아이들에게 복음을 전할 수 있었는데 그들 대부분은 교회에 가본 적이 없었다.

그 기적으로 충분하지 않았는지 롱아일랜드 해변가에서의 전도는 작은 마술의 도움을 입어 더 많은 기적을 이루어냈다. 나는 진기한 물건들을 모아 팔고 있는 가게에 가서 초보자용 마술 도구들을 샀다. 그런 다음

친구들을 감동시키고 놀라게 해주기 위해 새벽 3시까지 꼬박 밤을 세우며 어떻게 달걀이 '사라지게' 할 수 있는지를 배웠다. 다음 날 오후 우리는 하나님의 손이 우리와 함께하시기를 기도하면서 모래 위에서 공짜 마술쇼를 펼쳤다.

우리는 구체적으로 첫날 프로그램이 마칠 때까지 30명의 사람들이 구원의 결단을 내릴 수 있게 해달라고 기도했다.

꼼지락거리는 한 줄 정도의 아이들(약간의 평화로움을 누리고 싶은 부모들이 나가 놀도록 한 아이들)로 시작된 우리의 관객은 150명이 넘는 수영복 차림의 손님들로 늘어났다. 우리는 마술쇼와 복음을 제시하는 이야기를 번갈아 하면서 프로그램을 진행시켰다. 부모들이 점점 앞으로 가까이 다가왔다. 그리고 떼를 지어 몰려

온 10대 아이들로 우리의 관객은 더욱 불어났다. 그날 오후 우리는 약 250명에 달하는 관객을 모을 수 있었다. 마지막 초청 메시지가 있은 후에 30명이 넘는 사람들이 바로 그곳 해변가에서 예수 그리스도를 구세주로 영접하기 원했다.

해변가에서의 전도 활동을 마무리한 후 우리는 그곳 교회에서 청년들을 위한 저녁 전도 집회를 가졌다. 하나님께서 우리의 노력에 기대했던 것 이상으로 복을 주셨다. 그러나 그 복은 우리가 드린 바로 야베스의 기도 범위 안에서 이루어졌다. 6주간의 공략을 마친 후 우리는 롱아일랜드에서 1,200명의 새 신자를 얻게 되었고, 그들 모두는 필요한 도움을 받았으며, 그 이후 그들이 사용할 수 있는 양육 자료도 갖게 되었다.

그 열두 명의 고등 학생들은 하나님께서는 어떤 일도

하실 수 있는 분이시라는 확신을 안고 안락한 중산층이 모여 사는 대도시 근교의 그들의 집으로 돌아갔다. 그 후 가장 먼저 변화가 일어난 곳은 그들의 교회였다. 그들이 성령님께서 교회 안에서 움직여주시고 회개와 부흥을 가져다주시기를 기도했기 때문이었다.

불가능한 일인가? 전혀 그렇지 않다. 열두 아이들과 그들의 젊은 후견인은 하나님의 손이 교회를 통해 일하시는 장면을 목격했다. 그 선교 팀원들은 자신들의 경험을 이야기하면서 하나님께 더 많은 것을 구할 것을 도전했고, 전에는 누구도 알지 못했던 그런 부흥이 교회를 휩쓸었다.

이 모든 일은 열두 명의 학생들이 하나님의 영광을 위해 복을 구하며, 그들의 지경을 넓혀주실 것과 그분의 능력의 손이 함께해달라고 기도했을 때 일어났다.

아버지의 손길

놀이터에서 아이를 지켜보고 있는 사랑하는 아버지와 같이 하나님께서는 우리를 바라보시며, 하나님께서 주시는 초자연적인 능력을 우리가 구하기를 기다리신다. "여호와의 눈은 온 땅을 두루 감찰하사 전심으로 자기에게 향하는 자를 위하여 능력을 베푸시나니"(대하 16:9). 하나님께서 영적인 거인이나 신학교 학생들을 찾기 위해 두루 감찰하시는 것이 아니다. 하나님께서는 전심으로 하나님께 충성하는 자를 열심히 찾으신다. 하나님의 확장 계획 가운데 하나님께서 공급해주시지 않는 부분은 바로 당신의 충성스런 마음 그것 한 가지뿐이다.

말로는 설명할 수 없는, 영적으로 가능한 일들을 저지하는 유일한 변명거리는 항상 당신과 나, 바로 우리들이다. 당신은 하나님의 손길이 함께하는 초자연적인 열정과 담대함과 능력을 경험할 수 있다. 그리고 그것은 당신에게 달려 있다.

매일 아버지의 손길을 간구하라.

그리스도인들에게 있어서 신뢰는 능력을 의미하는 다른 표현이 되기 때문이다.

다섯. 물려받은 것 안전하게 지키기

나로 환난을 벗어나 근심이 없게 하옵소서

 큰 위험에 빠진 로마의 검투사를 묘사하는 전면 잡지 광고가 있었다. 그의 날 선 검은 바닥에 떨어져 있었고, 기회를 노리던 성난 사자는 입을 쩍 벌린 채 반쯤 날아오르고 있었다. 콜로세움 경기장에 모인 관중들은 두려움에 얼어붙은 그 검투사가 도망하려고 애를 쓰는 모습을 공포 속에서 지켜보고 있었다. 그리고 거기에 "어느 때는 2등이 될 수도 있다. 그러나 그것마저도 될 수 없는 때가 있다"라는 글

귀가 적혀 있었다.

초자연적인 복과 영향력과 능력을 구하고 받은 후 야베스는 그 어떤 사자와도 맞붙어 싸워 이길 수 있을 거라고 믿게 되었을지도 모른다. 하나님의 손이 함께하는 사람이라면 응당 "환난을 극복하게 하옵소서"라고 기도하리라고 생각할 것이다.

그러나 야베스는 죽음 앞에 선 검투사가 어떻게 해야 하는지를 알고 있었다. 그 순간에 으르렁거리는 사자를 물리칠 수 있는 가장 중요한 전략은 경기장에서 벗어나는 것이다. 그렇기 때문에 그는 하나님께서 그가 싸움에 말려들지 않도록 보호해주시기를 기도의 마지막에 요청했다.

"나로 환난을 벗어나 근심이 없게 하옵소서!"

야베스의 이 마지막 간구는 복된 삶을 유지하기 위한

홀륭한 전략이었다. 그러나 복된 삶을 유지하기 위한 전략으로 그 기도를 이해하는 사람은 거의 없다. 결론 적으로, 당신의 삶이 평범한 수준을 뛰어넘어 하나님을 위해 새로운 지경으로 나아갈 때, 과연 누구의 땅을 밟 고 서 있을지 상상해보라!

앞에서 했던 우리의 기도는 우리의 연약함을 통해 일 하기 위한 초자연적인 능력을 구하는 것이었다. 이제 이번 장에서 우리가 드릴 간구는 이미 잘 알려져 있는 대로 우리를 억누르려는 사단의 능력으로부터 우리를 보호하기 위해 초자연적인 도움을 구하는 것이다.

영적인 성공에 뒤따르는 위험

성공은 그 성공과 더불어 실패할 수 있는 더 큰 기회 를 가지고 온다는 사실은 의심할 필요도 없다. 죄에 빠져 사역에서 떨어져 나가면서 수없이 많은 사람들을 뒤흔들어 놓고, 혼란에 빠지게 하며, 상처를 준 그리스도인 지도자들을 둘러보라. 누군가가 말했듯이 복은 가장 큰 위험이 될 수도 있는데 그것은 "복이 때로는 하나님께 대한 우리의 예민한 신뢰를 둔하게 만들고, 우리를 무례하게 만들기 때문이다."

초자연적인 섬김의 삶을 살게 되면 될수록 우리는 야베스의 기도 마지막 대목에 있는 간구를 드려야 한다. 그것은 우리와 우리 가족들에게 더 많은 공격이 올 것이기 때문이다. 방심, 반대, 협박 등과 같은 초보자들에게 쏘아대는 적의 달갑지 않은 가시에 점점 익숙하게될 것이다. 이런 경험들을 하고 있다면 경계하라.

신학교에 다닐 때 나는 동료였던 한 학생과 나의 조언자이신 하워드 헨드릭스(Howard Henricks) 교수가 나누던 대화를 우연히 엿들은 적이 있다. 그 학생은 모든 일이 얼마나 잘되어가고 있는지를 헨드릭스 교수에게 신나게 이야기했다.

그는 "제가 처음 이곳에 왔을 때 너무나 유혹이 많아서 눈을 뜨고 다닐 수 없을 정도였어요. 그렇지만 감사하게도 지금은 아무런 문제도 없게 되었어요. 거의 유혹을 받지 않거든요!"라고 말했다.

그러나 헨드릭스 교수는 그 학생이 기대했던 것과는 달리 매우 염려스러워하는 표정을 지었다. 그리고 그에게 "그건 내가 들을 수 있는 가장 안 좋은 이야기로군. 그건 자네가 더 이상 전투를 하지 않고 있다는 걸 보여주거든! 사단은 더 이상 자네를 염려하지 않아도 되겠군"이라고 말했다.

우리는 구출을 받고 최전선으로 보내졌다. 그렇기 때

문에 환난에 빠지지 않도록 기도하는 것이 우리가 복된 삶을 사는 데 그렇게도 중요한 부분이 되는 것이다.

많은 다른 사람들과 마찬가지로 나도 영적인 성공을 거두었을 때 야베스의 기도의 이 마지막 부분이 특별히 필요했던 적이 있었다. 얄궂게도 성공을 거두었을 그때 가 바로 우리의 능력에 대해 잘못된(그리고 위험한) 판 단을 내리기 가장 쉬운 때다.

몇 년 전 시카코에서 공항으로 가기 위해 케네디 고 속도로를 통과한 적이 있었다. 그때 나는 무디 성경 학 교에서 한 주 동안의 특별 집회를 마치고 몹시 지친 상 태였기 때문에 택시 뒷좌석에 풀썩 주저앉아 있었다. 그 주간 동안 하나님께서는 놀랍게 역사하셨다. 매일 설교를 했고 76명의(정확한 기록을 위해 일지를 썼다) 학생들을 상담했다. 그리고 집으로 돌아가는 길, 나는 육체적으로 그리고 영적으로 소진해 있었다. 그저 차창을 내다보며 나는 야베스의 기도를 생각했다.

"하나님, 이제 더 이상 남은 힘이 없습니다. 주님을 섬기는 일로 완전히 지쳤습니다. 그 어떤 유혹도 감당할 수가 없습니다. 제발 오늘은 악으로부터 멀리 있도록 지켜주십시오" 라고 기도했다.

비행기에 올랐을 때 나의 좌석은 가운데 자리였다. 시작이 별로 좋지 않았다. 그리고 일은 재빨리 엉켜 들어갔다. 왼쪽 좌석에 앉은 사람이 포르노 잡지를 꺼냈다. "주님, 저는 이 일은 처리가 되었다고 생각했는데요!' 라고 투덜거리며 고개를 반대편으로 돌렸다. 그러나 비행기가 이륙하기 전 내 오른쪽에 앉은 사람이 서류 가방을 열더니 누드 잡지를 꺼냈다.

그들에게 다른 읽을거리로 바꾸면 어떻겠냐는 제안

을 할 마음은 없었다. 그저 눈을 감고 "주님, 오늘은 이런 일을 감당할 수 없습니다. 악을 멀리 쫓아주세요!" 라고 기도했다.

그런데 갑자기 오른편 사람이 잡지를 접더니 가방 속에 넣어버렸다. 나는 그가 왜 그러는지를 알아보려고 그를 쳐다보았다. 내가 보기에는 아무런 이유도 없는 듯했다. 그런 다음 내 왼편에 있는 사람이 그를 보고 큰 소리로 욕을 하더니 자기 잡지도 덮어버렸다. 나는 그에게서도 그가 그렇게 한 특별한 이유를 찾을 수가 없었다.

내가 웃음을 참지 못하던 바로 그때 우리는 인디애나주 상공을 날고 있었다. 두 사람은 모두 내게 뭐가 그렇게 우습냐고 물었다.

나는 "제가 말해도 안 믿으실 거예요!" 라고 말했다.

멀리 떨어져 있기

이제 성도의 삶 속에 감추어져 있는 사단의 강한 요새를 다루어야 할 단계에 이르렀다. 내 경험으로 볼 때 많은 그리스도인들은 우리의 사나운 적인 사단의 공격을 이길 수 있는 힘만을 구하는 기도를 하는 듯하다.

어찌된 영문인지 우리는 하나님께서 그냥 우리를 유혹에서 멀리 떨어져 있도록 보호해주시고, 우리에게 사단이 다가오지 못하게 지켜주시기를 구할 생각은 하지 않는다.

그러나 예수님께서 제자들에게 가르쳐주신 기도의 거의 사분의 일에 해당하는 부분이 보호에 관한 것이다. "우리를 시험에 들게 하지 마옵시고 다만 악에서 구하옵소서"(마 6:13). 영적인 통찰력이나 특별한 능력에 대한 언급은 전혀 없다. 대결해서 싸우는 것에 대해서

105

도 전혀 말하고 있지 않다.

가장 최근에 유혹으로부터 보호해주시기를 기도한 적은 언제인가? 우리가 더 많은 복과 넓은 지경 그리고 더 많은 능력을 구하기를 바라시듯이 하나님께서는 우리가 악에서 구해달라고 기도하는 음성을 듣고 싶어하신다.

유혹을 받지 않고도 죄를 짓는 일은 없다. 우리들 대부분은 시험에 들지 않게 해주시기를 기도하지 않기 때문에 너무나 많은 유혹을 받게 되고, 그래서 너무 자주죄를 짓게 된다. 영적으로 크게 도약하고 나면 우리는 유혹으로부터 멀리 떨어져 있는 일에는 덜 주의를 기울이게 되고, 유혹을 받고 도망하는 일에 더 많은 주의를 기울이게 된다.

하늘의 모든 군대를 지휘할 수 있으셨던 예수님께서

도 보호해주실 것을 기도하셨다. 그분의 모든 영적인 통찰력에도 불구하고 예수님은 광야에서 시험을 받으실 때 사단의 유혹적인 제안에 길게 얘기하는 것조차 거절하셨다.

기적적인 영역으로 더 깊이 들어가는 경험을 하면서 죄와의 전쟁을 가장 효과적으로 다루는 방법은 유혹에 맞서 불필요하게 싸우는 일이 없게 되기를 기도하는 것이다. 그러면 하나님께서는 단순히 그렇게 되도록 그분의 초자연적인 능력을 허락해주실 것이다.

우리의 무기를 내려놓기

유혹과의 싸움은 일반적으로 적지에서 일어난다. 그렇다고 해서 유혹을 받는 것 자체가 죄를 짓는 것과 같다는 뜻은 아니다. 그것은 사단이 사용하는 또 하나의 속임수이다. 그보다는 일반적으로 우리의 주관적인 경험의 테두리 안에서 악과 더불어 치고 박고 싸우도록 요구를 받게 된다는 것이다. 그것은 사단이 너무나 잘 알고 있는 바와 같이 우리가 제한된 사고력을 가진 타락한 피조물이기 때문이다. 이 싸움에서는 우리의 가장 예리한 무기(인간적으로 말해서)라 하더라도 쉽게 우리를 파멸시킬 수 있는 원인이 될 수 있다.

우리의 지혜를 사용함. 이 방법은 기껏해야 산발적으로 효과를 거둘 뿐인데 그 이유는 그저 우리가 착각할 수 있을 정도의 약간의 진리를 가지고 우리를 속이는 것이 사단의 속성이기 때문이다. 아담과 하와가 우리보다 쉽게 유혹에 넘어가는 경향을 갖고 있었던 것은 아니다. 우리와 달리 사실 그들은 모든 면에서 완벽했고,

그들이 진정으로 필요로 했던 것 가운데 채워지지 않은 것은 하나도 없었다. 사단은 그가 할 수 있는 최고의 약속과 연기력을 가지고 인류에게 다가와 다정한 대화로 그들을 뭉개버렸다.

그렇기 때문에 우리는 야베스가 했던 것처럼 속임수로부터 보호해주실 것을 기도해야 하는 것이다.

주님, 유혹을 받을 때 제가 가장 쉽게 저지를 수 있는 실수로부터 보호해주옵소서. 제게 꼭 필요한 것이라고 생각되고, 똑똑한 일이며, 개인적으로 유익이 된다고 여겨지는 것들이 사실은 종종 아름답게 포장된 죄에 지나지 않음을 고백합니다. 하나님, 시험에 들지 않게 하여 주옵소서!

우리의 경험을 사용함. 우리가 그리스도를 위해 새로운 지경으로 더 나가면 나갈수록 우리의 측면은 사단의 공격에 점점 더 노출된다. 어떤 사람은 "당신이 벼랑 끝에 서 있기 때문에 위험한 것이 아니라, 거기서 주의하지 않을 때가 위험한 것이다"라고 말했다. 약간의 자만심이나 자기 확신에 빠지는 것만으로도 재난을 초래할 수 있다. 내가 동료 그리스도인들에게서 보게 되는 가장 안타까운 일은 놀랄만한 복과 넓은 지경 그리고 능력을 경험한 사람들이 심각한 죄악에 빠져드는 경우이다.

우리는 위험한 오판에 빠지지 않도록 보호해주시기를 야베스처럼 기도해야 한다.

주님, 죄가 가져오는 고통과 회한에 잠기게 되는 일

이 없도록 안전하게 지켜주옵소서. 제가 볼 수 없는 위험이나 혹은 제 경험(자만심과 부주의) 때문에 제가 감당할 수 있다고 생각하게 되는 그런 위험들을 주님의 초자연적인 방법으로 막아주시고, 아버지 당신의 능력으로 저를 보호해주옵소서!

우리의 생각을 따름. 소위 말하는 아메리칸 드림이 하나님께서 우리를 위해 가지고 계신 꿈과는 상당히 동떨어져 있다는 사실을 아는가? 우리는 자유와 독립과 개인의 권리와 쾌락을 추구하는 문화 속에 묻혀 살고 있다. 우리는 자신이 원하는 것을 얻기 위해 희생을 마다하지 않는 사람들을 존경한다. 그러나 그리스도를 위해 자기를 산 제물로 드리거나 자기를 십자가에 못 박는 사람들에 대해서는 어떻게 생각하는가?

야베스가 했던 것처럼 우리는 우리가 옳다고 생각하지만 사실은 그렇지 않은 것들이 우리를 세게 밀치지 못하도록 보호해주시기를 기도해야 한다.

주님, 제가 생각하기에 누릴 수 있는 자격이 제게 있고, 또 가지고 즐길 수 있는 권리가 있다고 생각하는 육신적인 필요와 감정에 이끌리는 유혹에 빠지지 않게 지켜주옵소서. 주님만이 진정한 생명의 모든 근원이십니다. 주님, 주님께로부터 오지 않은 것들로부터 멀어질 수 있도록 제 발걸음을 인도해주옵소서!

이렇게 악에서 구해주시기를 간구하는 기도들이 우리 아버지께서 듣기 원하시며 또 응답해주시는 기도다.

자유롭게 증거하게 됨

사단은 자신과 자신의 나라에 큰 위협이 되는 사람들을 가장 적대시하기 때문에 하나님께서 우리가 드리는 야베스의 기도에 응답해주시면 주실수록 영적인 공격에 맞설 준비를 해야 한다.

하나님의 능력을 힘입어 악의 세력에 맞서야 하는 공격이 이미 시작되었기 때문에 악으로부터 멀리 떨어져 있을 수 없는 경우도 발생한다. 그럴 때는 바울 사도가 '우리의 싸우는 병기'(고후 10:4)라고 한 무기를 들고 담대하게 적을 대항해 설 수 있어야 한다.

'약속을 지키는 사람들(Promise Keepers)' 운동의 초기에 있었던 기도회가 기억난다. 25명으로 구성된 우리 지도자 팀은 수만 명의 사람들이 경기장으로 모여드는 동안 기도를 하기 위해 모였다. 적의 세력이 너무나 강력해 우리는 계속 말을 더듬기도 하고 침묵에 빠지기도 했다. 우리가 사단의 공격을 물리칠 수 없다면 프로그램을 시작한다 해도 별 의미가 없다는 사실을 우리는 잘 알고 있었다. 결국 우리 팀원 중의 한 사람이 자리에서 일어나 진리로 악을 공격하기 시작했다.

우리가 계속 무릎을 꿇고 있는 동안 그는 확신에 찬 어조로 "승리는 이미 우리의 것입니다"라고 말했다. 그리고나서 그는 그날을 위해 예비하신 하나님의 뜻이 이루어지기를 원하는 기도를 하기 시작했다. 기억에서 사라지지 않을 그의 기도는 다음과 같았다.

하나님, 수없이 많은 이 사람들과 그 가족들을 위해 저희가 하나님이 복 주시기를 간구하는 것은 분명히 하나님의 뜻입니다! 이 세대에 그리고 이 역사의 순간에

이 경기장에서 하나님의 나라를 위한 더 많은 지경을 취하는 것이 하나님께서 가장 원하시는 일임을 저희는 잘 알고 있습니다. 그리고 이제 하나님께서 하실 일을 인하여 감사를 드립니다.

우리 나머지 사람들은 우리 안에서 역사하시며 우리를 대신해 일하시는 하나님께 우리 자신을 맡기며 그와 함께 기도에 힘을 모았다. 그러나 우리는 너무 큰 부담감으로 기도를 감당하기가 쉽지 않았다. 그러나 그는 전혀 흔들리지 않고 계속 기도를 인도했다.

아버지, 지금 우리와 함께하시는 성령님께서 이미 모인 사람들 가운데 역사하시는 것은 하나님의 심오하고 변함없는 뜻입니다. 하나님께서는 우리가 다 이해할 수

는 없지만 우리가 진지하게 바라고 기대하는 그런 초자
연적인 방법으로 일하시기 위해 이미 이 곳에 와 계십
니다. 주 예수님의 이름 앞에 다른 모든 세력들이 무릎
을 꿇거나 도망치지 않을 수 없을 것입니다.

기도하던 가운데 하나님과 함께하는 편안함이 느껴
지는 순간이 찾아왔다. 그리고 우리의 간절한 기도는
찬양과 경배로 바뀌었고, 성령 안에서 자유롭게 증거할
수 있게 되었음을 알게 되었다. 마침내 우리는 이미 기
도 속에서 이루어진 일들의 엄청난 결과들을 담대하게
알리기 위해 경기장으로 나아갔다.

승리의 유산

야베스도 우리가 드렸던 기도를 좋아했으리라 생각

한다. 그는 신실하신 하나님의 성품과 신뢰할 만한 그
분의 말씀이 보여준 상상할 수 없을 만큼 좋은 것들을
알고 있었기 때문에 악의 올무로부터 자유로운 삶을 살
기 원했다.

그는 아마도 다음과 같이 말할 것이다. "가능한 한
유혹과의 싸움이 벌어지는 전투장에서는 멀리 떨어져
있으라. 그러나 결코 두려움이나 패배감 속에서 살지
말라. 우리는 하나님의 능력으로 안전한 복의 유산을
지킬 수 있다."

초자연적인 하나님께서 당신을 악에서 보호하시고
당신의 영적인 투자를 지켜주시기 위해 나타나시리라
고 믿는가? 야베스는 그것을 믿었다. 그리고 그 믿음을
따라 행동했다. 그랬기 때문에 그의 삶은 악이 가져다
주는 고통과 슬픔으로부터 벗어날 수 있었다.

바울은 골로새 교회에 보낸 편지에서 하나님께서 그들을 "그리스도와 함께 살리시고 정사와 권세를 벗어버려 밝히 드러내시고 십자가로 승리하셨다"(골 2:13, 15)고 썼다.

얼마나 놀라운 승리의 선언인가! 그리스도를 통해 우리는 유혹이나 패배가 아니라 승리 속에서 살 수 있다. 야베스의 기도의 네번째 부분을 우리 삶의 한 부분으로 삼게 되면 우리는 한 차원 높은 수준의 영광과 기하급수적으로 확장되는 복을 향해 나아갈 준비가 되는 것이다.

그 이유는 대부분의 주식 투자와는 달리 하나님 나라에서는 가장 안전한 투자가 가장 놀라운 신장세를 보여주기 때문이다.

여섯. 하나님의 존귀한 자의 명부에 오른 자

야베스는 그 형제보다 존귀한 자라

 하나님께서 편견을 가지신 분이라고 생각하는가? 하나님께서는 하나님의 사랑을 모든 사람들을 위한 것이 되게 하셨고, 예수님께서는 '누구든지' 그의 이름을 부르는 사람들을 구원하시기 위해 이 땅에 오셨다는 것은 분명하다.

그러나 야베스가 기도를 통해 하나님께로부터 '보다 존귀한 자' 라는 이름을 얻게 된 사실을 볼 때 하나님께서 편견을 보이실 수도 있다고 생각된다. 하나님의 호

119

의를 받을 수 있는 기회를 똑같이 가지고 있다고 해서 똑같은 상을 받는 것은 아니라는 사실을 야베스는 경험을 통해 배웠다. 역대기에 그와 함께 나란히 이름들이 기록된 사람들은 어떻게 되었는가? 예를 들어 잇바스와 하술렐보니와 아눕 등등의 사람들말이다. 그들은 하나님께로부터 어떤 명예와 어떤 상을 받았는가?

간단히 말하자면 하나님께서는 구하는 자들을 선호하신다. 하나님께서 원하시는 것을 원하고 간절히 구하는 사람들에게는 아무것도 감추지 않으신다.

그렇다면 우리가 하나님께서 보시기에 좀 더 존귀한 자가 되고 싶어하는 것은 교만이나 자기 중심적인 이기심이 아니다. '좀 더 존귀한' 이란 하나님께서 생각하시는 것을 묘사하는 용어이지 우리가 우리 스스로에게 줄 수 있는 칭찬은 아니다. 우리가 다른 사람보다 더 잘하

려고 할 때는 인간적인 충동에 말려들 수도 있지만, 하
나님께서 주시는 최고의 상을 받기 위해 노력할 때는
성령 안에서 살고 있는 것이다. 바울 사도는 그의 마지
막 서신에서 자신은 "하나님이 위에서 부르신 부름의
상을 위하여 좇아가노라"(빌 3:14)고 말했다. 그리고 그
는 자신이 한 일에 대한 진상을 밝히게 될 날을 기대했
다(고후 5:9-10).

슬픔에 찬 차선책은 내게 별로 호소력을 갖지 못한
다. 천국에 갔을 때 하나님께서 나를 부르시며 "브루스,
그동안 어떻게 살았는지 살펴보도록 하자. 너를 위해
내가 원하는 것을 너를 통해 이루어보려고 계속 시도했
지만 너는 그것을 허락해주지 않았다"라고 하시는 말씀
을 결코 듣고 싶지 않다. 얼마나 기막힌 일이겠는가!

존귀함은 거의 언제나 평범한 것에 대한 기대와 편안

함을 주는 생각들을 뒤로 할 때 얻게 된다. 재능과는 별 상관이 없다. 하나님의 존귀한 자의 명단에 뛰어난 성자들이 별로 포함되어 있지 않다는 사실은(히 11장) 우리에게 용기를 준다. 그 명단에 들어 있는 사람들은 대부분 놀랍고 기적적인 하나님께 믿음을 두고, 그 믿음을 행동으로 옮긴 사람들로서 세상에는 별로 잘 알려지지 않은 평범한 사람들이었다.

그들은 그들이 필요로 하는 바로 그 순간에 주어지는 하나님의 복과 초자연적인 공급하심과 인도하심으로 특징지어지는 삶의 비밀을 발견한 사람들이었다.

지금 나와 함께하시는 하나님의 손길

하나님의 존귀한 자의 명단에 오른 사람들의 삶 속에서 보여지는 가장 신나는 경험은 하나님을 바로 지금

섬긴다는 긴박성이다. 대부분의 다른 그리스도인들은 생각지도 못할 정도로 지금 현재의 삶 속에서 번성하기 시작한다.

다음 질문을 잘 생각해보라. 당신이 어떤 사람들을 만나든지 하나님께서 항상 당신의 지경을 넓혀주기 원하시며, 당신이 사역을 하는 동안 하나님의 강한 손이 당신을 인도해주고 계신다는 사실을 믿는다면 당신의 하루는 어떻게 시작되리라고 생각하는가?

지난 5년 동안 나는 그 믿음을 구체적으로 시험해보았고, 그것은 종종 놀라운 결과를 가져왔다. 하나님께 더 많은 사역을 구하고, 성령님의 인도하심을 따라 "도와드릴까요?" 라는 간단한 질문으로 어떤 사람과의 대화를 시작한다.

한 예로 이런 일이 있었다.

중요한 강의가 있어 북 캐롤라이나로 가려고 공항 쪽
으로 운전을 하고 있었다. 그런데 아무런 예고도 없이
교통이 느려지더니 더 이상 움직이질 않았다. 대형 사
고가 앞을 가로막고 있었다. 비행 시간에는 도저히 맞
출 수 없을 것 같았다. 그래서 나는 "주님, 비행기를 연
착시켜주서서 제가 탈 수 있게 해주세요"라고 기도했
다.

드디어 탑승 수속을 하게 되었을 때 수십 명의 사람
들이 오락가락하고 있는 것을 보았다. 비행기가 연착된
것이 분명했다. 겸허해진 마음으로 감사를 드리며 '하
나님께서 무슨 다른 계획을 갖고 계신 것은 아닐까' 라
고 생각하게 되었다. 그래서 나는 사역을 할 수 있는 기
회를 만들어달라고 기도했다.

잠시 후 정장을 잘 차려입은 한 여자 실업가가 다가

와 자기의 가죽 가방을 열었다. 그리고 우리가 비행기를 기다리고 있던 쪽으로 왔다. 그녀는 상당히 혼란스러운 듯이 보였다.

나는 가볍게 인사를 하며 "도와드릴까요?"라고 물었다.

그러자 그녀는 "뭐라고 하셨어요?"라고 말하며 거의 믿을 수 없다는 눈빛으로 바라보았다.

나는 다시 도와주고 싶다는 뜻을 전했다.

그녀는 친절하게 그러나 분명하게 "도와주실 수 없을 거예요"라고 말했다.

나는 "글쎄요, 무슨 일인지만 알면 제가 도와드릴 수 있을 것 같은데요"라고 말하며 미소를 지은 다음 다시 조용히 물었다. "뭘 도와드리면 되죠?"

성령님께서 바로 당신의 눈앞에서 감정적인 그리고

영적인 방해물을 뚫고 일하시는 것을 본 적이 있는가? 그것은 결코 잊지 못할 경험이 될 것이다. 그녀는 숨을 가쁘게 몰아쉬며 벽에 기대어 서서 말을 하기 시작했다. "남편과 이혼을 하려고 집으로 가는 길이에요. 그래서 이 비행기를 기다리고 있어요."

그녀의 눈에는 눈물이 고였다. 나는 출국장 안에서 좀 조용한 곳으로 가자고 제안했다. 그리고 하나님께서 우리 주위에 그리고 우리 두 사람 사이에 주님의 보호하심을 둘러주시기를 기도했다.

그녀의 이름은 소피였다. 잘 갖춰 입은 정장과 이태리 가죽으로 된 장식품들이 실망과 좌절로 소용돌이치며 상처로 깨어진 그녀의 모습을 가리고 있었다. 남편은 그녀에게 신실하지 못했을 뿐 아니라 다른 일들로도 그녀를 괴롭혔다. 바로잡아보려고 애도 써봤지만 이미 그녀에게는 너무 힘든 일이었다. 집에 도착하면 바로 가방에서 이혼 서류를 꺼낼 참이었다.

출국 검사원이 와서 대화를 중단시키며 "에쉬빌 행, 맞습니까? 비행기 놓치시겠어요"라고 말했다. 우리는 승객 중 마지막으로 비행기에 올랐다. 우리의 대화를 끝냈어야 했는데 그렇게 하지 못한 것 때문에 소피는 안정을 찾지 못하고 있었다.

"주님께서 우리를 같이 앉게 해주실 거예요"라고 말하는 내 목소리를 그리 믿지 않았다.

"무슨 뜻인가요?"라고 소피가 물었다.

"세상을 만드는 일도 그분께는 그리 어려운 일이 아니었어요. 우리를 같이 앉게 해주실 겁니다"라고 나는 대답했다.

그러나 티켓을 비교해보니 우리 둘의 좌석은 5칸 떨

어져 있었다. 자리에 앉았을 때 소피 옆에 앉아 있던 사람이 우리가 이야기하는 것을 듣더니 돌아보면서 "가운데 자리는 골치가 아픈단 말이야. 나랑 자리를 바꿉시다. 그럼 두 사람이 얘기하기 좋을 거요"라고 말했다.

소피는 잠시 동안 아무 말 없이 내 옆 자리에 푹 눌러 앉아 있었다. 비행기 안에서 우리는 소피가 할 수 있는 몇 가지 가능성들을 이야기했다. 나는 그녀에게 필요한 성경적인 원리들과 약속들을 설명해주었다. 에쉬빌에 도착했을 때 그녀는 용서를 향해 헤치고 나아갔다. 여전히 상처는 남아 있었지만 결혼 생활을 지키려는 다짐으로 평안을 누릴 수 있게 되었다.

하나님께서 이끌어주신 그녀와의 만남을 되돌아보면서 나는 야베스의 발자취와 그가 드렸던 간단한 기도를 볼 수 있었다.

- 오늘을 위한 하나님의 복을 간구하고 기대했다.
- 더 넓은 '지경'(하나님을 위한 더 많은 사역의 기회와 영향력)을 간구하고 그것을 받기 위해 앞으로 나아갔다.
- 나의 말과 생각과 소피와 함께한 행동들을 인도하시고, 나는 할 수 없는 일을 이루시기 위해 초자연적으로 역사하시는 성령님을 확신을 가지고 의지했다.
- 하나님께서 나를 통해 가져다주실 복을 망치는 악(이 경우 약간의 오해)으로부터 보호해주시기를 간구했다.

기적을 경험하기 위해 담대하게 앞으로 나아가라고 격려해주고 싶다. 당신의 하나님 아버지는 당신의 은사와 장애물과 매 순간 당신이 처하는 상황을 알고 계신

다. 그리고 당신은 알 수 없지만 당신을 통한 그분의 손
길을 절실하게 필요로 하고 있는 각 개인에 대해서도
알고 계신다. 하나님께서 그런 사람을 적절한 때에 적
당한 상황 속에서 당신에게로 보내주실 것이다.

그리고 그 순간에 그분의 증인이 될 수 있는 능력을
허락해주실 것이다.

복의 순환 주기

그렇게 계속해 나가면서 당신은 당신 안에서 그리고
당신을 통해 하나님께서 하시는 일들이 계속 배가되는
복의 순환 주기를 만들어가게 될 것이다. 그리고 그것
이 바로 앞 장의 마지막 부분에서 언급한 기하급수적인
성장이다. 당신은 더 많은 복과 더 많은 지경 그리고 더
많은 능력과 더 많은 보호를 구해왔고 누려왔다. 그러

나 성장 곡선이 곧 급속하게 치솟기 시작할 것이다.

그러면 그것을 감당하지 못한 채 다음 단계의 복에 이르지 못하고 일단 그 자리에 머물게 된다. 그러다가 다시 "주님, 복을 주옵소서. 더 크게 주시옵소서!"라고 기도하게 될 것이다. 그렇게 순환 주기가 반복되면서 복과 영향력의 범위가 꾸준히 넓어져가고, 하나님을 위해 당신의 삶이 나선형을 만들며 점점 더 위를 향해 그리고 점점 더 밖을 향해 퍼져나가는 것을 보게 될 것이다.

하나님의 자비하심에 압도되어 감격의 눈물을 흘리게 되는 날들이 반복해서 찾아올 것이다. 나는 주님께 "주님, 이건 너무 큰 복입니다. 주님의 복을 조금만 거두어주시옵소서"라고 기도했던 때를 기억할 수 있다. 당신이 나를 포함해 야베스의 기도를 사용하는 많은 사람들 중의 한 사람이라면 적어도 당분간은 더 많은 복을 간구하는 기도를 멈추어야 할 정도로 엄청난 복을 경험하게 되는 때를 맞이하게 될 것이다.

당신이 기도했기 때문에 하나님께서 하늘의 창고를 여셨다는 것을 분명하게 알게 될 것이다.

그리고 복의 순환 주기는 당신의 믿음을 시험해보는 좋은 도구가 될 것이다. 하나님께서 어떤 결정을 하시든지 당신 안에서 그 일을 하시도록 당신을 내어드리겠는가? 그 일은 언제나 당신을 위한 최선이 될 것이다. 당신을 위한 하나님의 놀라운 계획과 그분의 사랑과 능력에 순복하겠는가? 그렇게 하기를 바란다. 하나님께서 당신 안에서 깊은 즐거움과 기쁨을 누리신다는 것을 알게 될 때 오는 기쁨을 경험하게 될 것이다!

풍성한 삶의 이 주기를 깨뜨릴 수 있는 유일한 한 가

지는 죄뿐이다. 죄는 하나님의 능력의 흐름을 끊어놓기 때문이다. 그것은 마치 피닉스에 있는 당신의 집에 연결된 전기선이 끊어지면 후버 댐에 있는 거대한 발전소와 단절되는 것과 같은 이치다. 댐의 터빈이 만들어내는 엄청난 잠재력을 사용할 수 없고, 전선을 보수해 다시 연결할 때까지 기다려야 한다.

야베스가 누렸던 그 복을 경험한 후 죄를 짓게 되었을 때 겪을 하나님과의 단절로 인한 깊은 슬픔은 당신이 상상할 수 있는 것보다 훨씬 더 클 것이다. 그것은 당신 안에서 최고의 성취감을 이루신 하나님의 유쾌한 흥분을 맛본 후 돌아설 때 오는 고통이다.

그럴 때는 하나님의 임재 앞으로 서둘러 돌아와 어떤 대가를 치르더라도 잘못된 것을 바로잡으라. 하나님께서 당신을 통해 시작하신 기적을 단 일 분이라도 탕진

하지 말라. 말로 다 표현할 수 없이 좋은 것들이 여전히
당신과 가족들 앞에 놓여 있게 될 것이다.

일곱. 야베스의 것을 나의 것으로

하나님이 그 구하는 것을 허락하셨더라

복을 구하는 야베스의 기도를 당신의 삶을
수놓는 일상 생활의 한 부분이 되게 하라.
그러기 위해 다음 한 달 동안 다음에 주어
진 계획들을 동요하지 말고 따라하라. 그 기간이 지나
고 나면 당신의 삶 속에 일어나는 중요한 변화들을 보
게 되고, 기도가 평생의 소중한 습관으로 자리잡게 될
것이다.

1. 매일 아침 야베스의 기도를 하고 특별히 준비한 달력
   이나 도표에 기도한 것을 표시하라.

2. 야베스의 기도를 적어서 성경책이나 수첩 안에 그리
   고 화장실 거울이나 그 밖의 다른 곳에 붙여두고, 그
   것을 볼 때마다 당신의 새로운 비전을 되새겨보라.

3. 다음 한 달 동안 이 책을 일주일에 한 번씩 다시 읽으
   며 하나님께서 당신이 놓친 중요한 내용들을 보여주
   시기를 기도하라.

4. 당신의 새로운 기도 습관에 대한 결심을 다른 한 사
   람에게 이야기하고 당신의 실행 여부를 확인해달라
   고 부탁하라.

5. 당신의 삶 속에 나타나는 변화들, 특히 하나님께서
   지정해주시는 만남이나 야베스의 기도와 직접적인
   관계가 있는 새롭게 주어진 기회들에 대해 기록하기

시작하라.

6. 가족과 친구 그리고 교회를 위해 야베스의 기도를 하기 시작하라.

기도에 대한 지식만으로는 아무 일도 일어나지 않을 것이다. 보호에 대한 지식이 당신을 지켜주지는 않는다. 야베스의 기도를 각 방에 있는 거울마다 붙여둔다 해도 아무 일도 일어나지 않을 것이다. 당신이 믿고 있는 일만이 일어난다. 그러므로 당신이 취할 행동은 하나님의 능력이 나타나 삶에 변화가 일어나도록 만드는 것이다. 당신이 그렇게 행동할 때 그것은 당신을 위한 하나님의 최선을 향해 나아가는 것이 된다.

내가 바로 그 일의 산 증인이다.

나머지 이야기

이 책의 1장에서 나는 하나님을 위한 보다 큰 일을 시도하고자 기도하기로 선택한 것이 내 삶의 방향과 질적인 수준을 어떻게 바꾸어주었는지를 이야기했다. 이제 그 나머지 이야기를 하고자 한다.

아내와 나는 텍사스의 굵은 빗줄기가 창을 때리던 그날, 달라스의 우리 집 노란 부엌에서 야베스의 기도를 우리 영적 여행의 규칙적인 한 부분으로 삼기로 결정했다. 그리고 하나님께서 우리를 위해 계획하신 모든 일을 하고, 하나님께서 원하시는 최상이 되기 위해 더 많은 것을 얻으려고 노력했다. 그러나 무슨 일이 일어나게 될지는 전혀 알지 못했다.

Walk Thru the Bible 사역을 하는 몇 년 동안 우리의 한 때 연약했던 무릎이 강해졌다. 그것은 하나님께서

응답하시는 일을 멈추지 않으셨기 때문이다! 우리는 일
년에 25회 내지 30회에 이르는 성경 수련회를 갖기도
했다. 지금은 각 개인과 가정이 매일 하나님의 말씀 안
에서 자라는 것을 돕기 위해 매달 10종류의 잡지를 발
간하고 있다. 최근에 우리는 총 1억부의 출판 부수를 돌
파했다.

당신을 감동시키기 위해 이런 숫자들을 언급하는 것
은 아니다. 이 이야기들은 매우 개인적인 것이며, 적어
도 나에게 있어서는 하나님의 자비와 야베스의 기도를
통해 이룰 수 있었던 거의 충격에 가까운 증거들이기
때문이다.

그리고 하나님께서 믿음을 또다시 늘리셨다. 최근에
우리는 전혀 다른 기도를 하고 있는 우리 자신을 보게
되었다. "우리의 지경을 넓혀주옵소서"라는 기도보다

는 "주님, 주님의 지경은 무엇인가요? 어떤 일이 되어지기를 원하시는지요?"라고 기도하고 있었다.

분명히 하나님의 지경은 전세계를 포함하는 것이다. 우리가 바로 지금 전세계로 나아가는 것이 우리를 향한 하나님의 완벽한 뜻이 확실했다! 그래서 우리 지도자 팀은 그 일을 어떻게 이룰 것인가를 묻기 시작했다. 곧 우리는 우리가 생각할 수 있는 가장 간단하면서도 가장 큰 기도를 하기로 했다. 하나님, 하나님을 위해 전세계에 다다를 수 있게 해주옵소서.

1998년 1월 우리는 야베스의 기도를 통해 탄생된 WorldTeach 사역을 시작하게 되었다. WorldTeach는 50,000명당 한 명씩의 성경 교사가 배정될 수 있도록 120,000명의 성경을 가르치는 사람들로 구성된 가장 큰 교수단을 설립하려는 15년 간의 우리의 비전이 하나의

결실로 나타나게 된 것이다. 나는 지금 모든 국가와 도
시와 마을에 주님의 지상 대명령을 가지고 나아갈 6개
나라에서 온 성경 교사들을 훈련하는 일을 돕기 위해
인도에 와서 이 마지막 장을 쓰고 있다.

지금 일어나고 있는 일을 보기만 해도 나는 하나님께
서 충성스런 마음을 가지고 야베스의 기도를 하는 사람
들에게 여전히 응답해주실 것을 확신할 수 있다. 설립
된 지 2년 만에 WorldTeach는 러시아, 인도, 남 아프리
카, 우크라이나, 싱가폴 등을 포함한 23개 나라에서 사
역을 시작하였고 2,500명의 교사들이 등록을 했다. 세
번째 해에 우리가 목표로 하는 것은 35개 나라에서
5,000명의 교사들을 갖게 되는 것이다. 지금까지의 사
역은 우리가 계획했던 것보다 앞서가고 있다.

한 선교 지도자는 WorldTeach는 역사상 그 어느 기

독교 사역보다 빠른 속도로 진행되어온 것으로 보인다고 말했다. 이런 일은 인간적인 설명이 불가능하다. 우리는 우리 주님께 온전히 순복하고, 깨끗한 삶을 살려고 노력하며, 주님께서 주님의 세상을 위해 원하시는 것을 우리도 원하고, 그 일이 지금 이루어지는 것을 보기 위해 그분의 능력과 보호하심을 신뢰하고 앞으로 나아가는 약한 사람들일 뿐이다.

당신은 이런 일을 어떻게 부를지 모르지만 나는 언제나 야베스의 기적이라고 불러왔다.

이 일을 위해 구원받음

하나님께서 담대한 기도에 응답하신다는 것을 의아하게 생각하는 당신과 같은 사람들에게도 놀라운 일이 일어나는 것을 보아왔다. 믿음의 가장 단순한 빛이 당신에게 비칠 때, 하나님의 진리의 따스함이 당신을 녹일 때, 당신은 즉각적으로 "하나님, ⋯⋯제게 복을 주옵소서!"라고 외치고 싶어질 것이다. 당신과 같았던 사람들이 흥분 속에서 다음에는 무슨 일이 일어날지를 기대하는 것을 본 적도 있다.

항상 무슨 일인가가 일어났기 때문이다. 비록 어떤 사람들에게는 아주 미약하게 나타나기도 하지만 우리의 영적인 기대는 근본적인 변화를 겪게 된다. 하나님의 뜻과 하나님께서 기뻐하시는 일을 따라 기도하고 있다는 사실을 알기 때문에 현재 나타나는 기도의 능력과 기도의 실체에 대한 새로워진 확신을 가지게 된다. 이런 기도를 하는 것이 옳다는 것을 당신의 마음속 깊은 곳에서 느끼게 된다. 그리고 의심의 차원을 넘어 하나님이 당신을 구원하신 목적을 알게 된다. 그것은 바로 하나님께서 당신을 위해 작정해두신, 하나님만이 하실 수 있는 최선의 것을 온 마음을 다해 구하는 것이다.

이런 변화를 함께 경험하게 되기를 소망한다. 당신이 소중하게 생각하는 유산이 달라지고, 당신이 가는 곳 어디에서나 초자연적인 복이 불러일으켜질 것이다. 하나님께서 지금 현재 당신의 삶 속에서 기적적인 하나님의 능력을 발휘하실 것이다. 그리고 하나님께서 자신의 영광과 기쁨을 당신에게 아낌없이 부어주실 것이다.